D1282323

WITHDRAWN

PAYSAGES
et
PORTRAITS

OUVRAGES DU MÊME AUTEUR

Chez le même éditeur :

LETTRES A HÉLÈNE PICARD.
BELLES SAISONS.
L'ENTRAVE, roman (*suite de* LA VAGABONDE).
L'ENVERS DU MUSIC-HALL.
LE BLÉ EN HERBE, roman.
LA FEMME CACHÉE.
AVENTURES QUOTIDIENNES.
LA FIN DE CHÉRI, roman (*suite de* CHÉRI).
LA NAISSANCE DU JOUR, roman.
ŒUVRES COMPLÈTES DE COLETTE, en 15 volumes in-8, tirés en deux couleurs sur beau papier.

Chez d'autres éditeurs :

SEPT DIALOGUES DE BÊTES.
LES VRILLES DE LA VIGNE.
LA RETRAITE SENTIMENTALE, roman.
L'INGÉNUE LIBERTINE, roman.
LA VAGABONDE, roman.
LA PAIX CHEZ LES BÊTES.
LES HEURES LONGUES.
DANS LA FOULE.
MITSOU, OU COMMENT L'ESPRIT VIENT AUX FILLES, roman.
LA CHAMBRE ÉCLAIRÉE.
CHÉRI, roman.
LE VOYAGE ÉGOÏSTE.
LA MAISON DE CLAUDINE.
LA SECONDE, roman.
SIDO.
PRISONS ET PARADIS.
CES PLAISIRS...
LA CHATTE, roman.
DUO, roman.
LA JUMELLE NOIRE (4 vol.).
MES APPRENTISSAGES.
BELLA VISTA.
LE TOUTOUNIER, roman.
CHAMBRE D'HOTEL.
JULIE DE CARNEILHAN, roman.
JOURNAL A REBOURS.
DE MA FENÊTRE.
LE KÉPI.
TROIS... SIX... NEUF...
GIGI.
L'ÉTOILE VESPER.
LE FANAL BLEU.
POUR UN HERBIER.
EN PAYS CONNU.

En « collaboration » avec M. WILLY :

CLAUDINE A L'ÉCOLE.
CLAUDINE A PARIS.
CLAUDINE EN MÉNAGE.
CLAUDINE S'EN VA.

THÉATRE

En collaboration avec M. LÉOPOLD MARCHAND :

Chez le même éditeur :

LA VAGABONDE, pièce en 4 actes.

Chez un autre éditeur :

CHÉRI, pièce en 4 actes.

COLETTE
DE L'ACADÉMIE GONCOURT

PAYSAGES
et
PORTRAITS

FLAMMARION ÉDITEUR
26, RUE RACINE, PARIS

Il a été tiré de cet ouvrage :
trente exemplaires sur papier chiffon
des Papeteries d'Arches
dont vingt-cinq numérotés de 1 *à* 25
et cinq numérotés de I *à* V,
cinquante-cinq exemplaires sur papier chiffon
des Papeteries de Lana
dont cinquante numérotés de 26 *à* 75
et cinq numérotés de VI *à* X,
et cent soixante-cinq exemplaires
sur papier Alfa
dont cent cinquante numérotés de 76 *à* 225
et quinze numérotés de XI *à* XXV.

Printed in France.

Pour être posthume, le volume que voici n'en aura pas moins, parmi les ouvrages de Colette, une importance de premier ordre. Les commentateurs de ce grand écrivain s'aperçoivent chaque jour davantage, qu'en dehors de son œuvre d'imagination, elle a, en formulant dans ses chroniques, dans ses articles, sur les sujets les plus divers des vues toujours originales, créé un art de vivre, d'aimer, de souffrir, une manière d'aborder le monde sensible, qui forment proprement l'univers de Colette, et que cet univers n'a pas son pareil dans la littérature.

Mais cette éthique n'a pas été concertée, et nul n'eût été plus étonné que Colette, si on lui avait dit qu'on en pourrait un jour tirer une de son œuvre. Quand un éditeur la pressait de publier un volume, fût-il de morceaux épars, elle réunissait à la hâte des chroniques qui lui tombaient sous la main, s'arrêtant quand elle pensait que l'épaisseur en était suffisante. C'est ainsi que virent le jour Aventures quotidiennes, Le voyage égoïste, Prisons et Paradis, Journal à rebours. *Tout ce qui excédait le format requis était rejeté comme négligeable, parfois jeté au panier.*

Il a fallu de patientes recherches pour retrouver les pages inédites qu'on va lire, dont un grand nombre figureront parmi les plus parfaites, les plus « percutantes » que Colette ait écrites.

Elles s'étalent de 1909 à 1953. Malgré cela, le groupement des textes qui composent Paysages et Portraits *a été facile tant, en dépit d'un apparent vagabondage, l'œuvre de Colette conserve d'unité, tant son approche des choses demeure invariable : une observation d'une acuité sans exemple, une intuition sans défaut, une tendresse latente...*

LE PASSÉ

QUAND je passe en voiture devant la maison que j'habitais il y a trois ans, je me penche vite, avec une petite angoisse avide, un resserrement du cœur... J'y reviens quelquefois à pied, d'un pas flâneur, et je m'arrête... Quelle force me ramène et me tient là immobile et tentée, sur la mosaïque banale du vestibule ? Qu'est-ce que j'attends ? Peut-être que j'espère me voir sortir de ma maison avec ma robe d'il y a quatre ans et mon chien de ce temps-là ? Je cherche au plus profond de moi le mot qui ferait surgir... quoi ?

Une fois, j'ai franchi le seuil, j'ai posé une main sur le loquet de mon ancienne porte et, les yeux fermés, j'ai attendu... quoi ? Ce n'était pas l'espoir qui faisait trembler ma main, pourtant. Ce n'était pas le désir de revivre ce temps de ma vie, mêlé de joies et de peines, incertain, aigri par les trahisons inévitables... Ce n'était pas l'envie furieuse de soudain rajeunir, d'effacer de mon visage la trace de griffes fines et cruelles, de me mirer dans mon visage d'autrefois, mon image plus lisse et plus claire.

C'est la magie seule du passé qui me ramène et me tient là, les yeux clos — le passé sur lequel je me penche comme sur une tasse fumante et noire d'où montent, enlacés en anneaux bleus de vapeur, le souvenir, le sommeil, le mirage, le regret... Car il n'y a point en moi d'élan vers l'avenir, point d'ambition inquiète vers demain. Comme les enfants qui courent, la tête retournée, et butent sur un caillou, je vais malgré moi vers un but que je ne vois pas, et que je dédaigne.

Mais le passé, le beau passé rayé de soleil, gris de brume, enfantin, transparent, fleuri de joies sans éclat, meurtri de chagrins si chers... Ah ! ressusciter une heure de ce temps-là, une seule, — mais laquelle ? Il y a tant d'heures dans ma vie déjà longue, et je n'aurais pas assez de celles qui me restent à vivre, pour un tel choix minutieux et sûr...

Ressusciter ce que je fus !... Quelle femme n'a espéré le miracle ? Revivre tout ce qu'il y a dans un cœur d'enfant, savourer à nouveau ce qu'il a contenu de sagesse, de pudeur, de diplomatie, de méfiance, — fixer et décrire le merveilleux instinct qui conduit un enfant à taire ce qu'il doit cacher, — l'instinct qui le contraint à demeurer pour tous un enfant, alors que retranché derrière son visage inachevé, abrité par ses cheveux libres et son petit corps bondissant, il voit, il pense gravement, mûrement, il juge, il souffre avec une discrétion fière... Le roman d'une enfance... je voudrais l'écrire, et je crains, en l'essayant, d'échouer. Qu'une histoire d'amour semble donc facile et petite, à côté de celle d'une adolescence où l'idée de l'amour, ternie par des passions rivales, apparaît non comme le but et la fatalité d'une vie, mais comme un couronnement incertain, redoutable comme le chapiteau périlleux et fragile d'une colonne, comme l'arabesque étincelante et superflue...

J'ai dit passions rivales, oui, passions, ne sachant de quel nom nommer l'impérieuse, la sauvage et secrète tendresse qui me liait à la terre et à tout ce qui jaillit de son sein, ni ce jaloux, cet inquiet amour de la solitude... O solitude de mon enfance, toi mon refuge, mon remède, citadelle de mon jeune orgueil, de quelle force je t'aimais, et combien je craignais, déjà, de te perdre ! Je tremblais pour toi, rien qu'à imaginer l'ivresse plus brutale et moins rare de l'amour ? En te perdant, je me sentais d'avance diminuée, et pourtant... mais qui peut ne pas suivre l'amour ? Ne devenir qu'une femme ! c'est peu, et pourtant je me suis jetée vers cette fin commune. Ai-je une minute, une seule minute, hésité, debout entre ton cher fantôme, solitude, et l'ombre menaçante de l'amour ? Peut-être. Je ne sais, cela est trop près de moi encore. Une mémoire infaillible ne guide mon souvenir qu'à travers le jardin embrouillé de mon enfance. Je ne me souviens guère si, la première fois que je le vis, celui que j'aimai portait un manteau couleur du temps, — et j'ai oublié les paroles qu'il prononça ce jour-là. Mais demandez-moi de vous dire la forme et la couleur d'une seule feuille de ces giroflées marron, que la gelée et la neige confisaient, chaque hiver, dans le jardin, et qui ressemblaient, cuites de froid sur la terre blanche, à de pauvres salades ébouillantées... Demandez-moi si la glycine, vieille de deux siècles, fleurissait deux fois chaque année, et si le parfum de sa seconde floraison, exhalé de maigres grappes, semblait le souvenir affaibli de la première... Je saurai vous dire le nom de mes chattes et de mes chiens morts, je noterai pour vous le chant funèbre, le miaulement mineur des deux sapins qui berçaient mon sommeil, et la voix jeune, aiguë et douce, de ma mère criant mon nom dans le jardin... J'entrouvrirai pour vous les livres où se penchait mon front aux longues nattes, et, d'un souffle, j'en ferai s'envoler, humides encore, les pétales de pivoines roses, les pensées noires au visage froncé, les myosotis couleur d'eau bleue, que pressait entre leurs pages mon paganisme ingénu... Vous entendrez hululer ma chouette timide, et la chaleur du mur bas, brodé d'escargots, où je m'accoudais, tiédira vos bras l'un sur l'autre croisés, et... vite ! refermez la main ! refermez vite la main sur le chaud, et sec petit lézard crispé ... Ah ! vous avez frémi ! Vous étiez donc pris à mon rêve ? De grâce, donnez-moi, pour mieux vous leurrer, donnez-moi de tendres crayons de pastel, des couleurs qui n'ont pas de nom encore, donnez-moi des poudres étincelantes, et un pinceau-fée, et... Mais non ! car il n'y a point de mots, ni de crayons, ni de couleurs, pour vous peindre, au-dessus d'un toit d'ardoise violette brodé de mousses rousses, le ciel de mon pays, tel qu'il resplendissait sur mon enfance !

MATERNITÉ

— Vous voilà enceinte, Madame. C'est très bien. Maintenant vous allez me faire le plaisir de l'oublier.

Avis excellent donné par un médecin que je connais à une de ses clientes que je connais mieux encore.

Il ajouta :

— Je n'ai pas d'autre conseil à vous donner. Bien entendu, dans quatre ou cinq mois d'ici, il vaudra mieux ne pas rouler dans les escaliers, ne pas tomber à l'eau et ne pas monter à cheval. A part ça... allez, menez votre vie habituelle.

Ainsi fit la cliente, de qui la vie habituelle, à cette époque-là, consistait à voyager en chemin de fer et en auto, jouer la pantomime et danser. Elle s'en trouva si bien que le moment de mettre sa fille au monde la surprit comme elle arrosait, à la lance, son jardin.

Elle ne se doutait pas d'ailleurs que neuf mois d'activité physique et de divertissement moral constituaient, pour son enfant, le premier, non le moins précieux, des entraînements sportifs. Ce qui passait pour une plaisanterie hier est une vérité aujourd'hui. Les références athlétiques d'un jeune sujet, au lieu de remonter seulement à ses classes primaires, à ses prouesses de boy-scout, rechercheront le temps où il boxait, du front et des pieds, le cocon merveilleux qu'il élargissait à sa taille. On saura s'il y fut heureux ou opprimé, s'il courut, dûment soutenu et sanglé, les chemins, ou bien s'il dormit trop souvent languissant et cajolé, sur une chaise-longue, s'il eut des caprices et des gourmandises perverses...

« Tu n'enfanteras plus dans la douleur... Tu n'écouteras plus monter, d'heure en heure, ta souffrance que chaque effort hisse — tu le crois ! — à son comble, à sa perfection, et que l'effort suivant charge d'une petite alluvion de torture... Tu n'empliras plus l'air du cri rythmé, persévérant, qui détourne une part de tes forces ; enfin tu « travailleras » en paix, dans un silence qui t'est bien dû... »

Je rêve longuement à la découverte, la grande découverte du docteur Paulin. Des théories de lits blancs, où rien ne gémit... Des visages éblouis d'avoir enfanté presque en songe... Des nouveau-nés apportés par les fées, une ère sereine de miracles un peu léthargiques... Il faut s'émerveiller, et s'en aller partout crier le prodige ; à qui le crierais-je, sinon à la passante alourdie qui suit le sentier, sous ma fenêtre ?

Je ne sais pas quel âge elle a, je l'ai toujours entendu nommer la « mère » Sarcus. Elle porte son vingt-deuxième enfant. Les précédents...

— Combien en avez-vous de vivants, la mère Sarcus ?

Lorsqu'on l'interroge, elle fronce d'épais sourcils sur de grands yeux noirs, beaux encore :

— Dix-sept... Attendez voir, qu'est-ce que je dis donc ? Seize, pas plus, rapport à la fille que j'ai perdue, l'an dernier.

Elle dit « la » fille, et non « ma » fille. Elle est mère, presque aussi souvent, mais pas mieux, qu'une chatte féconde, qui oublie les petits, de l'avant-dernière portée. L'enfant pondu, elle ne tarde guère à le confier aux soins capricieux d'une *grande* de sept ou huit ans. Elle dit volontiers, parlant de sa progéniture : « Je m'y perds, aussi, dans leurs noms ! » et elle les a, ingénieusement, matriculés.

— Dix-Huit ! crie-t-elle, sûr comme y a un Dieu, tu vas hériter d'une fessée ! Et Quatorze, là, à traîner, c'est-y l'heure de l'école ou c'est-y pas l'heure ?... Quand je te commande, à toi Neuf, de retrouver ton père à arracher les raves, c'est pas pour que tu restes là à taquiner ta sœur Treize !

Un éreintement chronique endort l'orgueil de ses vingt-deux maternités. Elle se vante seulement d'accoucher toujours la nuit, parce que « tout se trouve terminé à bonne heure le matin », et qu'elle peut aller laver son linge à la fontaine...

— La mère Sarcus, dites donc !...

Elle se retourne et revient lentement s'accouder à ma fenêtre basse.

— Je m'en vas vous cueiller des pois, répond-elle.

— Vous avez le temps... Ecoutez que je vous dise : il y a un médecin à Paris qui vient de trouver un remède pour empêcher les femmes de souffrir en couches. Ça vous intéresse, ça ! Hein ! quelle chance !

— Voyez-vous ! dit la mère Sarcus avec politesse.

— C'est magnifique, n'est-ce pas ?

— Pour sûr.

— Le petit Vingt-Deux que vous portez là, vous seriez contente de le mettre au monde... phu ! comme une bulle de savon, vous que j'entendais crier d'ici, l'an dernier !

Elle se décide à sourire, d'une bouche déjà vieille :

— Pour sûr que j'ai pas laissé dormir grand'monde, cette nuit-là ! La sage-femme l'a même dit : « Faudrait un peu de modération, à présent, ma mère Sarcus. Si j'étais que de vous, je m'arrêterais là. » Et puis, dame...

Elle abaisse un regard fataliste sur son ventre intarissable...

— Ecoutez, la mère Sarcus, je vais m'informer à Paris, et si c'est dans les choses possibles, je vous offre pour votre Vingt-Deux une arrivée sans douleur !

Sa figure se ferme, elle reprend son panier.

— Vous ne voulez pas ?

Elle mâche une feuille d'oseille et rêve comme au pâturage :

— Je ne dis pas, mais...

— C'est sans danger, vous savez ? Et plus de cris, plus de mal... Un enfant qui vient par enchantement !

— Ben oui, mais...

— Mais quoi ?

Elle crache de côté sa feuille d'oseille et me dit ce mot singulier !

— Ben... et la gloire ?...

Un grand silence... Un silence si soudain, si imprévu, qu'il l'atteint à travers tout et la rejoint au lieu sombre où elle se sentait descendre, un lieu tumultueux, voilé d'une nuée de pourpre, où rien ne lui parvenait plus que la nécessité dernière de se débattre, de protester encore par le cri, par la rébellion des membres...

Sa pensée avait abdiqué la première, remettant le sort de deux êtres au corps ignorant mais infaillible, au corps valeureux et désespéré.

Mais ce silence... Quel silence !... Elle ne peut songer qu'à lui, s'étonner que de lui. L'air est privé, tout à coup, de quelque chose qui l'emplissait tout à l'heure, un son long, puissant, régulier, auquel elle s'était habituée, et dont l'extinction, peu à peu, la ramène en ce monde... Qu'était-ce donc ? Un grand bruit assourdissant, rythmé comme celui de la mer, une clameur, oui, c'est bien cela, une clameur... Elle ouvre les yeux, et prend conscience qu'elle vient de taire son cri de femme qui enfante.

Il fait presque jour, une aube d'été qui grandit vite. Elle reconnaît très bien sa chambre à présent, mais elle ne peut tourner ni la tête, ni les yeux, elle voit seulement comme un chemin blanc et bouleversé qui conduit à la fenêtre, son lit, et la couleuvre noire, ondulée, d'une longue mèche de sa chevelure. « Je l'avais pourtant bien attachée », songe-t-elle.

Et son premier souvenir précis est celui de l'heure — mais quand ? hier ? avant-hier ? — où le médecin est venu, l'a regardée un moment souffrir et mordre sa lèvre et lui a dit : « Mon enfant, il faut natter vos cheveux, il est temps. » Elle se revoit marchant lourdement vers son miroir, et apprêtant ses longs cheveux, si noirs sur sa robe blanche. Et puis... et puis... plus rien. Un nombre incertain d'heures, peut-être de jours. Elle n'en sait rien. La mémoire, la volonté, le raisonnement, tout cela est encore resté *là-bas,* réquisitionné, employé par le devoir de souffrir.

« Souffrir... » songe-t-elle. « Souffrir... mais, au fait... » Les yeux à demi ouverts, elle sourit, incrédule : « Je dois me tromper... Pourquoi aurais-je cessé de souffrir ? Sans doute je souffre encore... » Mécaniquement, sa bouche s'ouvre toute grande, ses côtes s'enflent pour recommencer le cri, *le même cri,* — mais rien, dans son corps débandé ne répond à l'effort — un effort qu'elle a cru prodigieux et qui vient à peine de soulever sa poitrine...

« Je voudrais, songe-t-elle, qu'on rattache mes cheveux. Il me semble que si on rattachait cette grande mèche de cheveux, je pourrais penser tranquillement. » Elle *voit* son bras, obéissant, qui se lève pour saisir la longue chevelure ondulée, mais en même temps deux mains emprisonnent la sienne, deux mains dont elle reconnaît profondément la forme et la chaleur...

« Ah ! c'est lui », se dit-elle. Et elle entend une petite voix enrouée, — sa propre voix, méconnaissable — qui parle avec une gaieté bizarre :

— C'est toi ? Où es-tu ? bonjour...

— Chut... ne bouge pas... Tu n'as plus mal ?

Elle rit légèrement, malgré elle :

— Mais non, figure-toi, je n'ai plus mal...

Elle se tait, mais elle continue à rire en dedans, comme une chose invraisemblable !

« C'est fantastique » songe-t-elle. « C'est... Les gens n'ont pas idée de cela. Les gens n'ont jamais eu la moindre idée de ce que c'était que de ne plus souffrir, sans quoi ils ne parleraient que de cela... »

Les deux mêmes mains pressent un peu ses doigts, comme pour l'appeler :

— Chérie... nous avons une petite fille.

— Quoi ?

— Nous avons une petite fille...

Elle ouvre les yeux, cherche au-dessus d'elle celui qui parle et essaie une grimace moqueuse :

— Oh ! tu dis ça...

Et elle achève tout bas : « Je le saurais, moi, si nous avions une petite fille... » Elle a une faible envie de s'informer, de savoir ce qui s'est passé pendant la défaillance finale, l'évanouissement, un trou noir autour duquel sa mémoire rôde, inquiète...

— Attention, dit quelqu'un.

Elle perçoit à présent le choc, le frôlement vif de deux autres mains, adroites et froides, qui s'occupent d'elle. Elle voit, au-dessus, autour d'elle, le battement lumineux de choses blanches, des linges blancs, une robe de toile blanche qui va et vient, beaucoup de blanc déployé, trop de blanc, qui éblouit les yeux et les oblige à se refermer.

— Est-ce qu'elle dort déjà ? chuchote la première voix.

Elle se tait, par malice et par épuisement. Son ouïe, réveillée, recueille tous les bruits du matin qui entrent par la fenêtre, des pas sur le gravier, le tonnerre lointain des camions, la chienne qu'on oublie et qui se plaint harmonieusement...

— Elle va dormir, répond-on. On peut maintenant s'occuper de la petite.

« La petite... » C'est donc vrai ? La petite ? il y a *une petite*... Il y a, dans cette maison, quelqu'un *de plus* ? Il l'ignorait donc, ce cœur qui bat maintenant à lents coups paresseux, il pouvait donc l'ignorer ?...

— Oh ! supplie-t-elle, qu'en avez-vous fait ?

Un gros rire, un bon rire lui répond :

— Laissez-nous un peu tranquilles avec votre fille ! Elle est là, dans le fauteuil. On ne peut pas tout faire. D'ailleurs, elle n'est pas intéressante, elle jase, elle ronchonne, elle peut bien attendre une minute !

Sa fille jase... Sa fille ronchonne...

— Chut ! souffle-t-elle impérieusement.

Et cette fois, elle entend, elle isole le cri, le langage, déjà forts et nuancés, d'un être qui vient de commencer à vivre. Des miaulements aigus, longs, alternent avec une série expressive de soupirs mécontents, de petits grognements canins...

— Je voudrais la voir, soupire-t-elle.

Et, en même temps, elle tremble qu'on exauce son souhait. Son désir véritable, c'est qu'on retarde encore l'instant où elle n'aura plus rien à ignorer de son œuvre. Dans un moment, elle saura si son enfant est laide ou difforme, elle saura si elle l'aime ou ne l'aime pas, et tout sera irréparable...

— Patience, patience, dit la voix gaie.

Elle abaisse ses paupières avec une soumission hypocrite, elle feint le sommeil pour mieux se refermer toute sur une pensée, une seule pensée robuste, devant laquelle les autres s'écartent et s'inclinent, chétives : « Je ne souffre plus. Si miraculeux que cela soit, je ne souffre plus. Plus du tout... Plus... »

Un demi-songe remplace vite son sommeil simulé. Elle y revoit la lampe rouge qui veilla tant d'heures auprès d'elle, un verre embué qu'une main portait fréquemment à ses lèvres séchées, et surtout ce visage d'homme pétrifié par l'attente impuissante, là, contre la tenture sombre... Mais chaque tableau lui plaît, favorisé d'un enchantement tout neuf, et elle caresse chaque fantôme, empressée de lui apprendre, comme une morte bienheureuse, qu'elle ne souffre plus...

— J'ai dormi longtemps ?

Avant qu'on ne lui ait répondu, elle a déjà mesuré, du regard, l'inclinaison de la barre d'or qui perce le volet :

— Il est huit heures, à peu près, n'est-ce pas ?

Elle sort de son court sommeil, comme d'une fontaine-fée ; la voilà lucide, curieuse, avec l'envie de parler, d'ordonner, de manger, de manger surtout... Elle fronce ses sourcils aussi noirs que ses cheveux, parce que la grande glace porte des traces de doigts, et elle imagine soudain, avec une malveillance extraordinaire, qu'il y a des papiers sur le gravier, dans le jardin...

— Oh ! cette maison !... Tout ça doit être dans un état !... Et l'eau du vase de roses ? Je parie que personne n'y a pensé, depuis que...

Elle a l'air très méchant, prisonnière entre deux chaînes de cheveux tressés, qu'on a roulées le long d'elle sur le drap.

— Depuis que...

Mais sa pâle figure, tachée de grains roux en haut des joues, devient tout à coup d'un rose lumineux, et le regard s'humilie, et la bouche s'adoucit : quelqu'un est entré, portant sur ses bras...

— Ta petite fille, chérie. Mais ne bouge pas, n'essaie pas de la prendre, tu me promets ?

« Mon Dieu, mon Dieu, supplie-t-elle en elle-même, voilà l'instant terrible. Je n'ai que de l'appréhension, que de la peur, et je devrais être folle d'une joie avide, normale, d'une joie *maternelle*... Comment la simuler, comment ne pas trembler de honte devant lui, lui qui porte cette enfant si sereinement, lui qui est déjà habitué à sa fille ? »

Elle voit descendre sur le lit, près d'elle, au creux d'un coussin, le fardeau léger, paré de blanc, fleurant le linge neuf et la verveine acide. Elle découvre, sous un bonnet de cheveux châtains, une brune petite figure aux yeux dormants et deux mains minuscules qui ont gardé les plis délicats, le chiffonnage d'une fleur de pavot en bouton. Elle perçoit, le long d'elle, le mouvement et la vie de la nouveau-née, un mouvement qu'elle *reconnaît,* écho faible, extérieur, d'une meurtrissure intime, familière. Tout, d'ailleurs, en elle, se tait, sous l'étonnement. Son regard s'arrête aux ongles bien enchâssés, aux sourcils à reflets d'argent, aux cheveux abondants, à tout ce qu'il y a d'achevé, de définitif déjà, dans la créature nouvelle... Elle retient son souffle, pour écouter un autre souffle, un rythme qui date de quelques instants... Elle ne sait que dire. Elle murmure tout bas :

— Oh ! par exemple, par exemple !...

Puis elle s'attriste de nouveau parce qu'elle n'a pas eu le « grand élan », le fameux élan dont on parle toujours. Elle quête craintivement sur le visage de l'homme penché, une aide, une certitude, — elle n'ose pas demander :

— Suis-je un monstre ? suis-je une méchante mère ? Pourquoi goûtes-tu si aisément, toi, la joie qu'on m'avait promise, la tendresse que j'attendais, la récompense de mon long travail ?... C'est ma *petite fille* qui est là, pourtant. Mais ce n'est pas assez, dis, cette satisfaction que j'ai d'avoir façonné, avec tous ses ongles, sa parure de cheveux et de cils, son petit torse plein et ses jambes vigoureuses, un enfant digne de vivre ; cet ébahissement respectueux et un peu niais, ce n'est pas assez, dis, ce n'est pas cela, l'amour maternel ?...

Déçue, intimidée, elle ramène son regard vers sa fille et essaie d'ouvrir, du bout d'un doigt, une des petites mains tièdes et froissées, qui se contracte, sensible et serre... Oui, évidemment l'émotion de cette étreinte, elle l'attendait, ce plaisir physique, attendri, amusé, mais...

— Non, pense-t-elle, ce n'est pas encore cela.

Elle sent la nécessité, le devoir de parler à l'homme orgueilleux et tranquille, qui les compare l'une à l'autre :

— Elle n'est pas laide, n'est-ce pas, pour une petite fille si récente ?

— Elle est très jolie ! Et elle le sera plus encore, — elle te ressemble.

— Elle me ressemble ? oh ! comment peux-tu voir... A cet âge-là, on ne sait rien encore...

Elle revient perplexe, à l'enfant endormie, qui agite peut-être son premier songe ?... Les minces sourcils tressaillent, l'expression du souci, de l'impatience despotique affermit soudain ces traits indécis...

— Ah ! s'écrie-t-elle...

— Quoi donc ? tu souffres ?

— Non... Tu n'as pas vu ? tu n'as pas vu ?

— Mais quoi ?

— Là, tiens, ses sourcils... Oh ! et sa bouche... Mais c'est toi, c'est toi, c'est toi !

Elle est enflammée comme à la révélation d'un prodige, tout devient miraculeux, le miracle va s'épanouir, elle verrait, sans plus d'émerveillement, l'enfant ouvrir les yeux, parler, marcher... Enfin, enfin, est-ce la minute attendue, est-ce l'élan dont elle désespérait ?...

— Mais non, se dit-elle, ce n'est pas encore cela. Cela, c'est l'amour, l'amour tout court. Je m'élance, je bondis, — mais vers lui, vers lui seulement, vers ce qui s'inscrit de lui, dans la petite esquisse tremblante. Ce cri qui vient de m'échapper, c'est encore un cri d'amoureuse... O petite créature qui dépends tant de lui, quand vais-je t'aimer purement, pour toi seule ?

Soulevée par les mains fortes qui l'assistent, elle peut, d'un bras, soulever et étreindre sa fille. Elle reste là, immobile, pâle entre ses deux tresses noires. Elle reste là, oubliant son corps, épuisée, et la faim qui la tourmente. Elle reste là, attentive, jalouse, inquiète, prête à défendre et à combattre, et se demandant, débordante d'un amour qui s'ignore :

— Est-ce que je l'aime ?...

MON AMIE VALENTINE

« Mon amie Valentine, j'ai reçu votre carte postale. J'ai su démêler, — dans les quelques lignes qui couvrent, comme d'un lacis de cheveux fins, la vue du lac du Bourget, — ce qui y tient d'amitié fidèle, d'affectueux souci.

Nous nous sommes quittées un peu fraîchement, et vous m'écrivez, circonspecte : « Temps abominable, excursions impossibles, nous songeons à rentrer... Et vous, que faites-vous ? »

Cela suffit ; je traduis sans peine : « J'ai peur de vous avoir fâchée tout à fait... Ne m'oubliez pas, ne m'en veuillez pas ; nous n'avons pas deux idées communes, mais je vous aime bien, je ne sais pas pourquoi ; je vous aime telle que vous êtes, avec tous vos défauts... Je suis inquiète de vous : rassurez-moi... »

Ne rougissez pas, mon amie Valentine, — ça fait tomber la poudre ! — et sachez tout de suite que je suis encore votre amie.

J'ai suivi, par les journaux, vos déplacements. Le *Figaro* m'assura de votre présence à Trouville, et je ne sais quelle feuille féministe et mondaine vous dépeignit en termes surprenants : on vous attribuait un « tailleur Louis XV marine, impeccable, avec guayaquil torsadé de pompadour... » Guayaquil torsadé de pompadour ! En vérité ! Comme disait une camarade à moi, une nommée Claudine : « Je ne sais pas ce que c'est, mais ça doit être beau ! »

Parce que je vis dans un désert de sable jaune, — soixante kilomètres carrés de plage, sans un poil de verdure, sans un caillou — je m'étonne, avec simplicité, qu'il y ait encore des dames pour porter des chapeaux, des robes étroites, des cols baleinés, de longs corsets et de périlleux talons pointus... Comment vous avouer que j'ai remisé, pour la saison, mes jupes et mes chaussures, et que je foule, sous mes plantes indifférentes et cornées, l'algue vernie, la coquille coupante, le jonc gris et salé qui perce le sable ? Comment oser me peindre à vous, noiraude que je suis, le nez un peu pelé d'un reste d'insolation, les bras gantés d'un cachou bon teint ? Dieu merci, les mouettes et les goélands, et les charmants courlis sont seuls à s'effarer de mon costume hippique : knickerbockers qui furent bleus, et jersey de tricot rude. Ajoutez-y des bas de cycliste, des souliers en caoutchouc, une casquette ramollie, le tout juché sur une grande bique de cheval bai, — et vous aurez un petit groupe équestre à ne pas rencontrer au coin du Bois.

Que, du moins, je vous félicite ! *Femina* reproduit votre portrait, en costume de tennis, parmi ceux des « meilleures raquettes » de Deauville... C'est charmant, cette cuirasse Jeanne d'Arc de serge blanche, qui coupe à mi-cuisses la jupe à plis. Vous avez là-dessous un petit air guerrier, pas sportif pour un sou, mais si sympathique !

Vous voyez, on n'est plus fâchées du tout, nous deux... Vous êtes si insupportable, mon amie Valentine ! et moi si impossible ! Je nous vois encore, très dignes, échangeant un adieu courtois et théâtral. Vous m'aviez demandé « ce que je faisais cet été » et je vous avais répondu : « Mais... je vais d'abord jouer *la Chair* à Marseille. » Là-dessus, vous : « Encore ! »

MOI. — Quoi, « encore » ?

VOUS. — Encore cette horreur !

MOI. — C'est pas une horreur, c'est un « sensationnel mimodrame. »

VOUS. — Une horreur, parfaitement ! C'est bien là-dedans n'est-ce pas ? qu'on vous arrache votre robe et que vous apparaissez...

MOI. — Sans robe, parfaitement.

VOUS. — Et ça ne vous fait rien ?

MOI. — Ça, quoi ?

VOUS. — De vous montrer en public dans une tenue, dans un costume... enfin... Ça me passe ! Quand je songe que vous restez là, devant tout le monde... oh !...

Saisie d'un frisson irrésistible de pudeur, vous avez voilé votre visage de vos mains réunies, avec un tel recul du corps que votre robe, collée à vous, vous dessina un instant pire que nue : les seins petits écrasés par un corset maillot, le ventre allongé et plat, achevé dans un pli mystérieux, les cuisses rondes et jointes, les genoux fins, un peu pliés, tous les détails de votre gracieux corps m'apparurent si nets, sous le crêpe de Chine que j'en fus gênée...

Mais déjà vous dévoiliez vos yeux courroucés :

— Je n'ai jamais vu de... d'inconscience pareille à la vôtre, Colette !

A quoi, je répondis, avec une grossièreté sans esprit :

— Mon enfant, vous me barbez. Vous n'êtes ni ma mère, ni mon amant : par conséquent...

Un soupir excédé, une poignée de mains raide, ce furent là tous nos adieux. A présent, je ris, toute seule, en pensant à votre pudeur spéciale, qui abrite sous de vastes et profonds chapeaux un corps menu, dont chaque pas révèle, sous une tunique étroite et courte, le mouvement des hanches, la saillie et le roulis des fesses jointes, et jusqu'à la couleur ambrée et rose des bras, des épaules et du dos sous la dentelle des manches et du corsage. J'ai grande envie, moi, de vous morigéner un peu... vous qui — non contente de paraître à la lumière du jour, dans cette tenue qu'une petite nymphe tanagréenne eût trouvée tout juste suffisante, — sortez du bain, à Trouville, les pointes des seins visibles sous le maillot de soie tendu, qui brille comme un poisson mouillé...

Il y a une chose, mon amie Valentine, que vous ne m'apprendrez jamais, c'est que la peau de mes reins ou de ma hanche puisse être plus tentante et plus secrète que celle de ma main ou de mon mollet, et c'est cette « inconscience », comme vous la nommez, cette sérénité de sauvage, qui rend inutiles toutes vos indignations, tout l'étalage de votre petite vertu... locale, — si j'ose dire, — de votre pudeur au centimètre carré.

Vous souvenez-vous des poursuites, demeurées fameuses, contre le Nu au music-hall ? Une petite marcheuse fut inquiétée cruellement, à cette époque. Elle remplissait deux rôles dans une revue de fin d'année : l'un la produisait nue, chaste et muette, immobile sur une nuée de carton, un arc à la main. Deux tableaux après, elle revenait en scène avec les « Dessous féminins », vêtue d'une combinaison de dentelle et d'une paire de chaussettes : ses petits genoux nus trépidaient, pendant qu'elle chantait un couplet aux indistinctes paroles, et les fleurs de ses seins apparaissaient, mauves sous le linon. Elle était gentille là-dedans, un peu ridicule, et parfaitement indécente ; aussi, on lui coupa un de ses deux rôles : entendez bien par là qu'elle rendit l'arc d'Artémis et garda sa combinaison !

Cela vous semble tout naturel ? J'en étais sûre.

O sacrée petite bonne femme ! Il y a pourtant des moments où j'ai la faiblesse de vouloir me faire comprendre de vous, d'empoigner par ses cheveux d'or — les vrais et les faux, — cette petite caboche plus dure qu'une noix de coco, et de la cogner très fort, pour en secouer tous les préjugés, tous les tronçons d'idées, les débris de principes qui y font ensemble un si immoral tapage...

Oui, immoral, petite buse ! Immoral, serine ! Immoral, cruche poreuse ! (Et encore, j'emploie des mots convenables !...) Ça m'est égal, vos yeux ronds et votre bouche suffoquée. Vous ne saurez jamais tout le mal que je pense de vous, vous qui me regardez, parce que j'ai cessé d'avoir un mari, comme si j'avais contracté une maladie gênante, difficile à cacher, difficile à avouer. Vous rirez, comme d'un paradoxe facile, si je tente de vous expliquer que l'état de mariage m'apparaît comme saugrenu et plutôt anormal, à vous qui avez un mari, — un mari dans les automobiles ! — et qui oubliez, à son bras, l'infidélité, la fuite d'un premier amant...

Cet homme-là, votre mari, vous ne l'avez donc jamais contemplé longuement, profondément ? Ne me répondez pas, spirituelle et évasive : « Si, puisque je l'ai trompé ! » Souvenez-vous, sans rire, du temps où vous ne le trompiez point. N'y eut-il pas un jour dans votre vie où, fidèle, aimante, amoureuse même, vous l'avez regardé soudain, avec un recul d'étonnement : « Qu'est-ce que cet homme fait chez moi, avec moi ? Pourquoi, en somme, est-ce que je vis avec *ce Monsieur* qui est là, dans ma chambre ? Je l'ai épousé, bon ! j'ai couché avec lui, bon ! — tout cela n'empêche pas que c'est *un Monsieur,* un Monsieur comme un autre, qui est là dans ma chambre, dans mon lit, dans ma vie... Il entre chez moi, dans mon cabinet de toilette, après avoir demandé : « Je ne te dérange pas, ma chérie ? » Je lui réponds : « Non, mon amour ! » mais cela n'empêche pas que *ce Monsieur* soit là, dans ma chambre, et que sa figure, la forme de son dos, son geste pour lisser sa moustache, me soient tout d'un coup étrangers, choquants, déplacés... Toute ma vie, alors, je vivrai comme cela *avec un Monsieur,* qui aura le droit de voir ma mauvaise mine du matin, d'entrer pendant que je bois ma tisane purgative, s'informera des dates difficiles de mon petit calendrier de femme, se promènera en caleçon dans mon cabinet de toilette !... Il est là dans ma vie, pour toute la vie ! Pourquoi ? Je ne le connais pas, au fait ! Je l'aime... mais ça, c'est une autre question : l'amour n'a rien à voir avec la vie en commun, — au contraire, il en meurt la plupart du temps. »

Avouez-le, mon amie Valentine : il n'est pas possible que votre état de mariage ne vous soit apparu — pendant une heure, pendant un instant, — dans toute sa grossièreté saugrenue ! Et qui vous dit que votre mari, lui aussi, n'en ait point souffert dans sa pudeur, une pudeur d'homme presque toujours plus délicate, plus sincère que la nôtre ? Je dis votre mari, le mien, celui de toutes ces dames... Un matin, il se sera éveillé maussade, absorbé, parlant à peine, l'œil en dessous... A votre sollicitude : « Qu'est-ce que tu as, mon chéri ? » il aura répondu : « Rien... un peu de migraine... » Et, après avoir avalé le cachet de pyramidon tendu par votre main affectueuse, il continuera à se taire, avec l'air d'un homme à qui il est arrivé quelque chose.

Il lui est arrivé... la même chose qu'à vous ! Il ne vous reconnaît pas. Il vous regarde sournoisement, par-dessus son journal, stupéfait et révolté, dans le fond, de vous découvrir tout à coup, de détailler, d'un œil lucide et froid, *cette dame* qui est là chez lui, qui plante en chantonnant des fourches d'écaille dans son chignon, sonne la femme de chambre, ordonne, tranche, dispose... Je vous le jure, mon amie, il y a, dans ces minutes fugitives, des regards d'amant à maîtresse, de femme à mari, qui effraient...

Je me souviens d'un mot charmant de ma mère, que mon père admonestait un jour assez vivement :

— Je te défends, lui dit-elle, de me parler ainsi : tu n'es même pas mon parent !

Mes oreilles d'enfant le retinrent, ce mot singulier, et depuis j'y rêvai souvent...

Vous êtes bien capable en ce moment, petite poison, de me lire avec un joli sourire méchant qui signifie : « On comprend qu'elle dise pis que pendre du mariage, elle qui... » *Moi qui* quoi ? Moi qui n'ai pas eu à m'en louer ? La belle affaire ! Je tiens à ne vous point laisser, fémininement, déplacer la question. Je vous citerai, tel qu'il m'est demeuré en l'esprit, le petit sermon que me fit ma mère, la veille du jour où j'épousai l'homme que j'aimais, et qui m'aimait :

— Alors, mon pauvre petit toutou, tu vas t'en aller de moi ? Tu vas t'en aller, avec qui ?

— Mais, maman, avec celui que j'aime !

— Je le sais bien, que tu l'aimes, et ce n'est pas le plus beau de ton affaire. Il vaudrait mieux, ma foi, que tu l'aimes moins. Et puis ?

— Et puis ? Eh bien ! c'est tout.

— C'est tout. Te voilà bien avancée ! Ce que je vois surtout, c'est que tu vas t'en aller avec un homme, et je ne trouve pas cela bien joli, que ma fille s'en aille avec un homme.

— Mais, maman, il sera mon mari !

— Ça m'est bien égal, qu'il soit ton mari.

J'en ai eu deux, moi, des maris, et je n'en suis pas plus fière pour cela... Un homme, que tu ne connais seulement pas !

— Oh ! mais si, maman, je le connais !

— Tu ne le connais pas, petite sotte, puisque tu l'aimes ! Tu vas t'en aller, toute seule, avec un monsieur, et nous te regarderons partir, tes frères et moi, avec des figures longues comme ça. C'est révoltant que des choses pareilles soient permises !

— Mais enfin, maman, tu es extraordinaire ! Qu'est-ce que tu veux que je fasse ?

— Ce que tu voudras, naturellement. Mais ce n'est pas propre. Tout est bien mal arrangé. Regarde un peu ! Il te dit qu'il t'aime, et, comme tu l'aimes aussi, te voilà dans ses bras, et prête à le suivre au bout du monde. Mais qu'il te dise brusquement ! « Je ne vous aime plus » et il change à tes yeux ! Tu découvres qu'il a le nez bref des gens qui manquent de jugement et d'équilibre, le cou court, sanguin de ceux qui tuent dans la colère, la voix nuancée et séduisante des menteurs, un menton de femme faible et sensuelle... Mon petit toutou adoré, ne pleure pas ! Je ne suis qu'une vieille rabat-joie. Qu'est-ce que tu veux ? Je dis toujours des choses énormes, mais la vérité, c'est qu'il faudrait épouser son propre frère, si l'on voulait se marier en connaissance de cause, et encore ! Tout ce sang étranger qui entre dans une famille, et qui fait qu'on regarde son propre fils en se disant : « D'où m'amène-t-il ces yeux-là, et ce front, et ces colères de fou, et cette aptitude au mensonge ?... » Ah ! mon pauvre toutou chéri, je ne cherche pas à expliquer, ni à refaire, comme ils disent, une société nouvelle, mais tout est si mal arrangé !

Mon amie Valentine, excusez-moi. Je me laisse entraîner à des souvenirs qui pourraient manquer de gaîté. Non plus que ma charmante toquée de mère, je ne cherche à rien changer de ce qui existe. La solitude, une enivrante liberté et l'absence de tout corset ont vite fait de moi, vous le voyez, une prêcheuse de la pire espèce. Je ne voulais qu'un peu moraliser, à mon tour, par pure taquinerie.

Et j'apporte au jeu une conviction lamentable. Il me semble que je vois, dans quelque dix ans, une vieille Colette raisonneuse, sèche, avec des cheveux d'étudiante russe, une robe réformiste, qui s'en ira dans les villes, prônant l'union libre, l'orgueilleux isolement, et *patiapatia,* et un tas de fariboles ! Brrr... ! Mais quel démon me montre, plus terrible encore, l'image d'une Colette quadragénaire, enflammée d'un amour neuf, mûre et molle sous le fard, combative et désespérée ? De mes deux bras étendus je repousse les deux fantômes, je cherche, entre eux, un étroit chemin abrité, où me guide une main amie...

Adieu, ma chère. Je crains bien que vous n'aimiez pas cette lettre. Nous ne nous entendrons jamais, mon amie Valentine. Et, toute notre vie, je l'espère, nous nous chercherons, avec une tendresse agressive et désintéressée. Vous n'espérez plus me « ramener au bien » ; je ne compte pas vous convertir. Cela donne à nos conversations une chaleur factice et inoffensive, qui réconforte et n'illusionne point.

Adieu ! retournez à votre tennis, en robe-cuirasse Jeanne d'Arc. Je m'en vais pêcher le poisson plat qui se prend sous le pied nu, dans les trous profonds que laisse la mer basse. Il fait grand vent, le sable marche en longs ruisseaux rapides, qui accourent parallèlement de l'horizon, et leur reptation donne le vertige. Sous le ciel bas, la plage est un désert sans bornes, couleur de cendre, et les dunes pâles fument sous le vent qui les désagrège... Ici, vous péririez de désolation, mon enfant, et pourtant je m'y plais... Je vous embrasse ; revenez bien belle et bien contente.

Votre amie

COLETTE WILLY.

Ce qui doit arriver arrive... Chargée de tous les péchés, je comparais devant mon amie Valentine, après avoir reçu ce bleu énigmatique : « J'ai beaucoup à vous gronder. Vous me désolez. »

Comment ai-je pu, moi indigne, désoler cette longue jeune femme si bien vêtue, que l'on cousit sans doute dans sa robe de drap afin qu'elle ne puisse ni tout à fait s'asseoir, ni tout à fait se pencher, ni tout à fait marcher... ô la chaînette d'or qui réglait la marche de Salammbô...

J'ai désolé mon amie Valentine... Qu'est-ce que j'ai fait encore ? Mon joli juge en robe noire, jaboté de dentelle, laisse paraître l'embarras qui sied à tous les juges, et je ne voudrais pas être à sa place...

— Allez-y, Valentine. Vous n'enlevez pas votre bonnet ?

Car elle porte un bonnet, une espèce de bonnet de bain pour bain habillé, en je ne sais pas quoi tordu et brillant. Plus d'oreilles, même plus de cheveux sauf une mèche blonde sur la tempe droite. C'est propre, ça vous a un petit air Saint-Lazare très coquet. Je désigne l'objet d'un doigt circonspect :

— En quoi est-ce, au juste ?

— En bois, répond mon amie Valentine, empressée à retarder ma comparution. En bois tissé qu'on plonge ensuite dans un bain d'argent adhésif.

— Adhésif, ma chère !

— Adhésif. Et le drapé, tout autour, c'est de la toile cirée bleu pâle (1). On a lancé ça pour

(1) Je n'invente rien.

la saison de Monte-Carlo, en même temps que le grand chapeau de dîner en cuir léger. C'est très nouveau. Mon Dieu, je ne dis pas que ce soit très, très joli...

— Non, ne le dites pas. Dites-moi plutôt ce qui vous amène, ce qui a motivé ce télégramme... affolant.

La jeune dame en bonnet se recueille, puise au fond d'elle-même un courage inusité et parle :

— Eh bien, voilà. Vous avez dîné au Sémiramis-bar avant-hier.

— C'est vrai. Et alors ?

— Et alors ? C'est tout. Ça ne vous suffit pas ?

— Si, ça me suffit, puisque j'y dîne deux ou trois fois par semaine. On y mange bien.

L'aigrette, — en quoi peut-elle être ? en paille de fer ? — qui somme le bonnet de toile cirée et bois tissé frémit, danse et salue :

— Mais, malheureuse que vous êtes, c'est un endroit... un endroit...

— Mal famé. Mon Dieu oui.

Ma pauvre amie Valentine renonce aux moyens déclamatoires. Elle me regarde avec une subite douceur, une sollicitude supérieure :

— On dirait vraiment, ma pauvre amie, que vous voulez rendre impossible à vos amis la tâche de vous défendre...

— Qui vous l'impose, cette tâche ? Pas moi, toujours ?

— Je veux dire, enfin, que... vous savez que je vous aime beaucoup... Qu'est-ce que vous voulez que je réponde, quand on vient me dire que vous dînez chez Sémiramis ?

— Répondez, en toute vérité, que ça ne vous regarde pas.

Mon pauvre petit juge rougit, hésite. Ah ! que le rôle d'accusé est plus facile ! Je m'y complais, je m'y carre, je m'enfonce au plus moelleux de mes fautes, et Valentine manque d'assurance pour venir m'en déloger.

— Bien sûr, ça ne me regarde pas. C'est dans votre intérêt... Ça peut vous faire du tort. Vous avez l'air de faire exprès de... Et puis, enfin, que vous alliez là en passant, bon... Mais, c'est tout autre chose que de devenir une habituée, une abonnée de l'endroit. Si, au moins, vous y alliez en bande, quelquefois... Mais, toute seule dans votre coin, entre votre journal et votre chienne, et tous ces gens qui vous disent bonjour, ces petits messieurs en veston à jupe, qui ont des bagues, et des bracelets à la cheville... Et puis, ajoute-t-elle enhardie, on m'a dit que les soupers, là-bas, sont... terribles !

— Je n'en sais rien, ma chère. Je ne soupe pas.

— C'est vrai, vous ne soupez pas. Mais vous savez, n'est-ce pas, que les soupers...

— Je le sais. Sémiramis me le raconte.

— Elle vous...

— Mais oui. C'est un bon type, Sémiramis.

Vous ne la connaissez pas ? Vous n'avez jamais vu son museau court de bouledogue, et son chignon roux, et son auvent de cheveux en visière de casquette, et sa gorge en balcon espagnol ?

— Je n'ai pas le plaisir...

— Tant pis. Elle respire un air d'insolence, de bonhomie, d'endurance, de santé comique. Elle vend, pour peu de chose, sa soupe aux poireaux, son poulet aux saucisses et sa longe de veau, — elle les donne même pour rien à tout un peuple de déchards en jaquette, de petites pauvresses empanachées, qui trouvent chez elle la pâtée et la thune... La thune, Valentine, c'est une pièce de cinq francs...

— Je sais, je sais, voyons. Tout le monde sait ça, voyons.

— Excusez-moi. Donc, Sémiramis règne, casquée, cuirassée d'un tablier à poches, dans son bar « mal famé ». Il l'est, certes, à votre sens, qui est celui de tout le monde, d'ailleurs.

— Je l'espère bien.

— Moi aussi. Elle sait le nom de tous ses clients, celui des amis de toutes ses clientes. Elle n'aime point l'inconnu et aboie, aux hôtes de hasard : « Y a rien à bouffer pour vos gueules ! » Elle connaît la chronique scandaleuse de tous les bars et se montre discrète, car un jour, m'ayant conté, sans que je la lui demande, l'aventure scabreuse et triste d'une petite bonne femme assise là, Sémiramis ajouta : « Y a que moi qui la sais son histoire, elle serait affolée si y avait deux personnes dans Paris à la savoir ! »

— Charmant.

— Avec ça que vous n'en faites pas autant tous les jours ! Du moins chez Sémiramis ce n'est que de l'inconscience. Et puis, qu'est-ce que vous voulez, ma chère, je suis casanière, un peu maniaque, popote à ma façon... Obligée souvent de dîner dehors, avant le théâtre, je n'entre pas volontiers dans un restaurant des boulevards, ni dans un grill-room à la mode où l'on nomme tout bas, épluche et débine les convives... J'entre chez Sémiramis la bien nommée, Sémiramis reine guerrière, casquée de bronze, armée du coutelas à viande, qui parle une langue colorée à son peuple de jeunes hommes à longs cheveux et de femmes à cheveux courts...

— C'est justement ce public-là que je vous reproche !

— Pourquoi ?

— Il y a toutes les nuits, dans ce bar, des scènes, des orgies, des batailles même...

— Je vous le répète, je n'en sais rien. Qu'est-ce que ça me fait ? Les orgies du Sémiramis-bar doivent être, comme toutes les orgies, d'une banalité qui inspirerait la vertu aux plus hystériques. Je ne m'intéresse qu'aux gens qui dînent là. C'est d'eux seuls que je veux vous parler, Valentine, puisque je consens bonnement à une explication... Oui, il y a là une majorité de jeunes gens que les femmes ne passionnent point. A dîner, ils sont là chez eux, ils se reposent. Ils prennent des forces pour le souper. Ils n'ont pas besoin de hancher, de crier pointu, d'agiter un mouchoir humecté d'éther, de danser par couples, ni de réclamer bien haut : « Sémiramis, encore un sherry pour moi, sur l'addition de monsieur ! » Ils sont doux, las, avec des yeux maquillés tout battus de sommeil. Celui-ci qui s'affuble d'un nom de princesse authentique, demande son eau de Vittel, et beaucoup de poireaux dans la soupe, parce que c'est un dépuratif. Cet autre, qui a une pauvre figure de fillette chlorotique, trouve chez Sémiramis son bouillon et ses pâtes cuites, et la rude souveraine lui emplit son assiette deux fois, en mère bourrue. Puis elle s'écrie, les poings aux hanches, devant un long gamin aux yeux bleus hallucinés, qui repousse son assiette pleine : « Tu t'es encore f... de la morphine, hein ? A quoi qu'elle pense donc, ta mère, de te laisser te détruire comme ça ? Elle a donc pas de cœur ! » Un autre, qui ressemble, avec ses yeux pervenche et son nez ingénu, à Suzanne Derval, chipote les plats : « Ah ! flûte, non pas de sauce. J'ai pas envie de me ruiner l'estomac ! Et puis, garçon, une fois pour toutes, enlevez-moi les pickles et envoyez-moi mes cachets de benzonaphtol ! »

Ils sont là, gentils, sans pose, oisifs et mélancoliques, comme des courtisanes sans travail, mais riant facilement et jouant avec le chien que Sémiramis a trouvé une nuit dans la rue... Qu'un étranger se fourvoie à dîner, les voilà inquiets, avec des grâces bougonnes de commerçants réveillés trop tôt, qui échangent d'une table à l'autre les cris de poules, les rires forcés, les clichés obscènes, le boniment enfin, qui raccroche... Le client, ou la bande de soiffards et de curieuses ayant vidé les bocks, sucé les kummels à la glace, c'est derrière eux, la porte refermée, une huée de soulagement, puis le calme, le bavardage à mi-voix, et les bustes minces, fleuris de cravates voyantes et de pochettes vives, s'appuient aux tables dans une détente avachie, un repos de bêtes de cirque après l'exercice... »

Valentine n'aime pas beaucoup qu'on lui parle longtemps. L'animation, le brillant de son visage tombent, au bout de quelques minutes d'attention, à une raideur, un écarquillement ensommeillé... Je me tais. Mais elle n'a pas fini, décidément :

— Tout ça, tout ça, c'est très joli. Quand vous voulez vous disculper de quelque chose, vous habillez ça avec de la littérature, et vous vous dites : « En parlant un peu vite, et en mettant de jolis mots, Valentine n'y verra que du feu ! » C'est plus facile que de m'envoyer promener, hein ?

Cette gentillesse, cette malice féminine me désarment toujours, et mon amie Valentine, qui m'excède souvent, m'étonne quelquefois, comme si je m'apercevais soudain, sous ses cheveux en rouleaux postiches, sous ses chapeaux casseroles ou grandes-eaux-de-Versailles, le bout pointu d'une oreille de petite bête maligne... Je ne peux pas m'empêcher de rire :

— Mais je ne me défends pas, petite horreur ! Me défendre de quoi, et contre qui ? contre vous ? Est-ce que je daignerais, mégalomane que vous êtes !

Elle fait sa moue séductrice, comme pour un homme qui lui ferait la cour :

— Vous voyez, vous voyez ! C'est moi qui vais être attrapée ! Ça, c'est le comble ! Parce que je me suis permis de dire que le Sémiramis-bar n'était pas une filiale du couvent des Oiseaux, et que j'ai parlé sans respect de cette reine de Babylone et autres lieux !

— Sémiramis ne demande pas de respect. Qu'en ferait-elle ? Ça ne se mange pas, ça ne se vend pas et ça tient de la place. Mais elle me dispense une parcelle de cette maternité bougonne qui lui fait, de sa clientèle d'habitués, une progéniture dorlotée, bousculée et docile... Par ailleurs, son humeur capricieuse, âpre et dissipatrice à la fois, la rendent à mes yeux digne d'un sceptre authentique. « Combien que je te dois, Sémiramis ? » lui murmurait un soir une chétive habituée aux yeux anxieux. — Je sais pas. J'ai pas fait ton compte, grogne Sémiramis. Penses-tu que j'ai que toi à m'occuper ? — Mais j'ai de l'argent, ce soir, Sémiramis... — De l'argent, de l'argent... y a pas que toi qu'a de l'argent ! — Mais, Sémiramis... — Ah ! et puis la barbe, à la fin. Je m'y retrouverai toujours, tu sais. Le client de la table du fond vient de me payer un louis son poulet-cocotte, cent sous de plus que chez Paillard, regarde sa gueule le temps qui s'en va... Monsieur ne voulait pas de mon menu ! Monsieur se commande des plats à part ! Monsieur se croit au restaurant ! » Ce disant, elle foudroyait, de ses terribles yeux marron, le dos intimidé et fuyard du « croquant » qui s'était cru le droit, moyennant un louis, de manger chez Sémiramis du poulet cocotte... Je vous ennuie, Valentine ?

— Pas du tout. Au contraire.

— Je n'espérais pas tant ! C'est un succès. J'ose à présent vous dire que je prends plaisir, en dînant, à regarder chez Sémiramis des femmes enlacées, qui valsent bien. Elles ne sont pas payées pour cela, et dansent pour leur plaisir, entre la potée aux choux et le bœuf bourguignonne. Ce sont de jeunes modèles, des petites noceuses du quartier, des petits rôles de music-hall sans emploi... Sous les grands chapeaux-ombrelles, sous les cloches enfoncées jusqu'aux yeux, j'ignore les visage des valseuses, je puis oublier les frimousses discutables, les museaux un peu prognathes bleuis de poudre ; — je ne vois que deux gracieux corps joints, sculptés sous les robes minces par le vent de la valse, deux longs corps d'adolescentes maigrichonnes aux pieds fins, chaussés de souliers fragiles venus, sans voiture, à travers la neige et la boue... Elles valsent en habituées des bals de barrière, crapuleusement, voluptueusement, avec cette inclinaison délicieuse d'une haute voile de yacht... Que voulez-vous ? Je trouve ça plus joli qu'un ballet...

C'est l'heure, mon amie Valentine, où je quitte le Sémiramis-bar, non sans que Sémiramis elle-même m'ait, d'un signe complice, retenue sur le seuil : « Chut ! dites rien, chuchotait-elle l'autre soir, en passant à mon doigt la ficelle d'un paquet bossu. Dites rien, c'est des pommes que je vous ai dégotées, des vieilles reinettes comme vous les aimez, ridées comme un derrière de pauvre... » Ça vous fait rire, hein ? Moi j'ai trouvé ça très gentil. Elle savait donc que j'aime les vieilles pommes gaufrées, musquées, odorantes comme le cellier où je les rangeais dans mon enfance ?...

— Bien sûr, c'est gentil, acquiesce mon amie. Et maintenant je m'en vais. Mais vous savez, je ne me décourage pas ! Je reviendrai encore vous faire de la morale. Je vous retrouverai, allez !... Je vous retrouverai, mauvaise gale !

— Au *Sémiramis-bar,* ce soir, à huit heures,

— Au Sémiramis-bar, ce soir, à huit heures, si vous voulez.

LES ENFANTS QUI S'AIMENT
CLAIRE FRANCE
LES ENFANTS QUI S'AIMENT
roman
CLAIRE FRANCE
FLAMMARION
E LIVRE
E SERAIT-IL PAS DESTINÉ
FAIRE
E TOUR DU MONDE ?..
NDRÉ BILLY de l'Académie Goncourt

CLAIRE FRANCE

LES ENFAN
QUI
S'AIME

Il est rare, n'arrive plus jam de lire un livre de ce grâce... Il est pur. Av de sourire, il faut pense ceci qu'on ne compre qu'à la fin : s'il n'était pur, il n'aurait pas sa rais d'être...

ROBERT COIPLET
(Le Monde)

On sent ici la présence d' poète que son instinct conseille guide avec une sûreté admirable, orie dans ses élans, retient au bord des g sants faux pas, des outrances qui viendrai entraver une démarche si légère, com ailée et que l'on suit de page en page, a un émerveillement ravi.

MAURICE GENEVOIX
de l'Académie française.

Claire France donne à ses héros la fraîcheur du nom qu' porte... Et quelle finesse chez cette novice ! Elle saisit les aspe fugitifs d'âmes encore incertaines, écartelées entre un b qu'elles appréhendent de perdre et un autre qui leur fait pe Haute leçon de sérénité qui se dégage de cette histoire éterne ment humaine.

(La Libre Belgique

On reste séduit par la fraîcheur, la gravité du ton, la grâce ·ique avec laquelle le récit est mené.

RENÉE SAUREL *(L'Information)*

Claire France est une véritable et rare magicienne. Elle est venue à créer ou plutôt à recréer un monde, celui de l'enfance.

JACQUES CALLEWAERT *(La Cité)* Bruxelles

Un livre mélancolique, tendre et lucide qui révèle un don très d'observation, une sensibilité frémissante et une âme poétique.

GERMAINE SUSINI *(Bonjour Bonheur)*

Ce petit livre vaut par sa fraîcheur, son mélange charmant poétique d'innocence, de naïveté et de philosophie... Une ·gée d'eau pure.

GÉRARD D'HOUVILLE *(Revue des Deux Mondes)*

Une œuvre éclairée de jeunesse, pétrie de printemps, où les ırires et les larmes, tout en conservant la grâce légère du ·mier âge de la vie, recouvrent déjà tous les éléments de ternel drame humain.

PIERRE MALE
(La Dépêche marocaine)

Livre d'innocence, plein de tendresse et sources vives où se confrontent deux urs baignés par la grâce d'une intense reté.

PIERRE DEMEURE
(Le Peuple) Bruxelles

Un roman d'une fraîcheur, ıne jeunesse qui nous console s mornes polissonneries dans ·quelles se complaisent nos tites rouées.

JEAN FANGEAT
(Le Dauphiné Libéré)

C'est peut-être un ef-d'œuvre. C'est en ut cas un livre rare.

ROBERT GOT
(Carrefour)

CLAIRE FRANCE

La main sur le bouton de la porte, elle se retourne. Sous la mèche blonde, son œil rit, et c'est tout ce que je vois d'elle, entre son bonnet écrasé sur la nuque et une sorte de passe-montagne en hermine, enroulé deux fois à son cou :

— Dites donc, au fait, est-ce que vous croyez que mon mari le saurait, si j'y allais une fois dîner en même temps que vous, avec une robe sombre et un chapeau bien sage ?...

— Moi, d'abord, si j'avais une fille...

— Mais vous n'avez pas de fille !

— Mon amie Valentine hausse les épaules, vexée. J'ai enfreint une des règles de son jeu favori : le jeu des *Si j'avais*. Je sais déjà comment se conduirait cette péremptoire jeune femme *si* elle avait une automobile, *si* elle avait un yacht, *si* son mari était ministre de la guerre, *si* elle héritait de dix millions, *si* elle était une grande actrice...

Quand elle entre chez moi, il me semble que le vent se lève, et je cligne des cils comme au bord de la mer. Elle arrive, essoufflée, et regarde autour d'elle, et murmure chaque fois :

— C'est au diable, ma chère, votre Passy, vous direz ce que vous voudrez !

Encore qu'elle m'y invite, je ne dirai rien de ce que je veux... mais je souffre qu'elle débite tout ce qui lui passe par la tête.

Mon amie Valentine porte avec raideur, depuis les ballets russes, des modes qu'excuserait à peine la plus molle grâce orientale. Elle se parfume de rose et de jasmin, jure par Téhéran et par Ispahan, et n'hésite pas — couverte d'une robe byzantine qu'éclaire un fichu Marie-Antoinette, coiffée d'un bonnet cosaque et chaussée de souliers américains affûtés en sabots — à s'écrier :

— Comment peut-on ne pas être Persan ?

Elle est convaincue, versatile, et fougueuse. Elle jette sur moi, dès le seuil, des ruisseaux de paroles, des colliers sans fin d'axiomes contradictoires. Elle me chérit parce que je ne lutte pas, et se plaît à me croire timide quand je ne suis qu'atterrée... Elle parle pendant que je lis, pendant que j'écris... Aujourd'hui, ce tiède et pluvieux après-midi d'automne me l'amène toute sage et gourmée — elle joue à la bourgeoise et élève despotiquement les enfants qu'elle n'a pas :

— Si j'avais une fille... Ah ! ma chère, on verrait ce que j'en pense de l'éducation moderne, et de la manie sportive, et des jeunes filles genre américain !... Ça fait de piètre épouses, allez ! et des mères de famille pitoyables !... Qu'est-ce que vous regardez dans ce jardin ?

— Rien...

Rien... Je demande, sans paroles, aux arbres

roux et à la terre amollie, où mon amie Valentine a pu se documenter sur l'éducation moderne... Je ne regarde rien, sinon l'étroit jardin de mes voisines et leur maison, un chalet de bois et de briques oublié dans Passy parmi les derniers jardins...

— Le retour à la vie de famille, ma chère, il n'y a que ça ! Et la vie de famille comme la comprenaient nos grand'mères ! On ne se souciait pas de baccalauréats pour les jeunes filles, dans ce temps-là, et personne ne s'en portait plus mal, au contraire !

Je lève un instant les yeux sur ma houri en caftan vert, cherchant en vain sur elle la trace morbide d'un baccalauréat mal guéri...

— Oui, je vous réponds que si j'avais une fille, j'en ferais une petite provinciale, saine, tranquille, à l'ancienne mode. Un peu de piano, pas trop de lecture, mais beaucoup de couture ! Elle saurait repriser, broder, entretenir le linge. Ma chère, je la vois comme si elle était là, ma fille ! Coiffée lisse, avec un col plat... Je vous assure, je la vois !

Moi aussi, je la vois. Elle vient de s'asseoir, comme chaque après-midi, dans la maison voisine, contre la fenêtre : c'est une enfant, presque, avec des cheveux lisses et un teint pâle, qui baisse les yeux sur une broderie...

— Je l'habillerais avec ces petites étoffes, vous savez, qui ont un fond un peu triste et des petits dessins idiots. Sans compter qu'elle aurait un succès fou, là-dedans ! Et tous les jours, tous les jours, au lieu du cours à la Sorbonne ou de la conférence à la mode, elle s'assoirait près d'une fenêtre, ou sous la lampe — j'ai une petite lampe à huile, justement, en porcelaine peinte, un amour ! — elle s'assoirait avec sa broderie ou son crochet. Une jeune personne qui tire l'aiguille n'a pas envie de mal faire, allez !

Qu'en pense l'enfant appliquée, dont je ne vois en ce moment que les cheveux sombres et lisses, noués sur la nuque par un ruban noir ? Sa main va et vient, tirant une longue soie, et voltige comme un oiseau au bout d'un fil...

Mon amie Valentine pérore, en pleine crise de maternité platonique :

— Les ouvrages de dames, mais oui, ma chère, les ouvrages de dames ! On les a assez blagués, sans comprendre qu'on leur devait, autrefois, la sécurité de bien des familles, la santé morale de bien des adolescentes !...

L'enfant qui brode, dans la petite maison, a levé la tête. Elle regarde, comme sans le voir, l'humide jardin où pleuvent des feuilles mouillées. Elle a des yeux profonds et sérieux, des prunelles noires qui bougent seules dans son visage immobile...

— Vous n'êtes pas de mon avis, au fond ?

... Des prunelles veloutées, larges, qui glissent sur le jardin, cherchent entre les arbres un coin de ciel, se tournent méfiantes vers la chambre noyée d'ombre...

— Oh ! vous, quand vous êtes dans vos jours d'absence, vous n'êtes pas à prendre avec des pincettes ! Bonsoir, je suis fâchée. Oui, oui, très fâchée !

... Et retournent à la broderie commencée, abritées sous de longues paupières. Tous les jours, cette enfant brune s'assied et brode jusqu'à l'heure d'allumer les lampes.

S'il fait beau, sa fenêtre est ouverte, et j'entends, à la nuit tombante, qu'on l'appelle :

— Lucie ! viens, voyons, tu vas t'abîmer les yeux !

Elle quitte à regret sa chaise, son léger ouvrage, — et jusqu'au lendemain j'attends que reparaisse, sur le fond confus d'une chambre démodée, ce joli fantôme de mon adolescence lointaine...

Une jeune fille provinciale coiffée lisse, et tirant l'aiguille... Très sage, n'est-ce pas ? et volontiers muette, et peu curieuse... L'appelle-t-on, celle-ci, « rêveuse éveillée » ? Gagne-t-elle, celle-ci, sa chaise basse, comme le seuil du jardin défendu où elle pénètre seule, chaque jour, sous les yeux aveugles de ceux qui l'entourent ? Entre eux et les pays dangereux où elle erre, déploie-t-elle, pour en interdire à tous l'accès, le mouchoir qu'elle festonne ou le canevas empesé ?...

Ouvrages de dames, sécurité des mères

confiantes... Quel mauvais livre vaut, pour une enfant solitaire, le long silence, la songerie effrénée au-dessus de la mousseline à jours, ou près du métier en bois de rose ?... Le mauvais livre risque d'effrayer, trop précis, ou déçoit... Mais le songe hardi s'élance, sournois, impudent, varié, au rythme de l'aiguille qui mord la soie ; il grandit, bat d'une aile brûlante dans le silence, enfièvre la petite main pâle, la joue où palpite l'ombre des cils. Il s'efface, recule, semble se dissoudre pour un mot jeté à voix haute, pour un fil qui se rompt, un peloton qui roule, — il se fait diaphane pour laisser transparaître, de temps en temps, le décor familier, le passant qui frôle la fenêtre ; — mais l'aiguillée neuve, mais le canevas vierge, mais la tâche reprise assurent son retour, et c'est lui, toujours lui, qui courbe la nuque de tant d'enfants appliquées, c'est lui qui habite secrètement tant de « rêveuses éveillées », — c'est lui que je reconnais au regard de ma voisine, la fillette penchée, ce beau regard féminin, égaré, mouvant dans un immobile visage...

— Ça ne vous fait rien que je m'habille devant vous ?

— Rien du tout.

— Vous êtes gentille... Je suis si contente de vous voir, ajoute mon amie Valentine.

Mais je vois son image dans la glace inclinée, son image avec qui elle vient d'échanger un coup d'œil anxieux, un mouvement de sourcils excédé... Je l'ennuie... Je tombe très mal... Elle m'envoie au diable... Encore plus loin : dans le fond de Passy, chez moi ! Elle m'y souhaite, elle m'y installe et m'y boucle, un livre sur les genoux, devant un bon feu d'été...

— ... Vous comprenez, achève-t-elle tout haut, non sans ingénuité, je dîne dehors et on va tous en bande à la générale de la *Grande Glycine,* alors...

— Ne bavardez pas, habillez-vous comme si je n'étais pas là.

De fait, elle jette sa robe et sa petite culotte, son soutien-gorge de valenciennes, gratte ses bras nus, repasse du plat de la main sa chemise froissée, avec la choquante impudeur d'une femme qui se dévêt devant une femme. Mais elle s'en va chercher l'ombre et le mystère pour se déchausser, dans un coin, le dos tourné. L'assurance lui revient au prix d'une paire de bas en tulle violet et de deux souliers étincelants d'or, si beaux que mon amie leur sourit tendrement, en faisant le tour de la chambre, hésitante sur les hauts talons, gracieuse et peu couverte. Une douleur lancinante tire les coins de sa bouche et il lui échappe un bien sincère et populaire : « Ah ! là là, mes pieds... » en s'affalant devant la poudreuse...

Le travail qui va suivre m'est familier : c'est le maquillage habile, quasi théâtral, qui complète et banalise à la ville les jeunes femmes soucieuses de la mode. Je dis les *jeunes* femmes, car les autres y mettent plus de discrétion, laissant à leurs cadettes le goût fiévreux du fard cru, la joie barbouilleuse d'enfants qui tripotent le blanc, le rouge, le bleu et s'en salissent jusqu'aux oreilles.

Je me garderai bien d'ouvrir la bouche. Il y a temps pour tout, et je sais qu'on ne potine pas en se « faisant » la figure. Il faut me contenter des onomatopées d'impatience et des bouts de phrase que laisse tomber mon amie Valentine, secs, en boule, comme les petits tampons de coton qu'elle frotte sur ses joues, sur ses paupières, et qu'elle jette après...

Ça va, chez vous ?... Tant mieux... C'est tout de même curieux que je ne puisse pas obtenir de ma femme de chambre qu'elle remplisse mon pot à cold-cream quand il est vide... Je vous en supplie, ma chère, dites-moi qu'il n'est pas huit heures ou je deviens folle !... Alors, ça va chez vous ?... Naturellement, quand je veux me dépêcher, je rate mon bout de nez... Mais non, je n'ai pas trop de rouge... Je vous en supplie, ma chère, ne me parlez pas en ce moment-ci, je vais me fourrer du mascard dans l'œil...

Besogne et bavardage de théâtre, agitation d'actrice qui va rater son entrée... Sauf l'élégance du boudoir, on pourrait s'y tromper. Je réplique juste ce qu'il faut pour que mon amie oublie presque ma présence, pour qu'elle me laisse suivre et enregistrer les transformations de son reflet penché...

Voici d'abord son vrai visage, tout nu, lavé à la vaseline, le visage que lui fit sa mère. Elle le montre à son mari, à sa femme de chambre, à moi qui n'ai pas non plus d'importance. C'est un minois blond, éclairé d'yeux bleus, fatigué aux paupières, un peu congestionné aux pommettes et aux ailes du nez. Les cils, très blonds, doivent briller au soleil comme du verre pilé, — mais quand voient-ils le soleil ? Tout à l'heure ils vont retrouver leur noirceur, leur empois artificiels. Un peigne, qu'elle vient de planter d'une main sévère, contient et tire en arrière la chevelure de mon amie, d'une teinte fine, presque rosée. L'ensemble, dans le cadre d'argent du miroir, est lumineux, d'une netteté gentille, anémique et distingué. Il faudrait, à ce cou mince, un col blanc, une dentelle assez raide, fraîche à l'œil. Il faudrait que le peigne, fiché de travers pour une toilette hâtive, mordît encore mieux les beaux cheveux, afin qu'il les resserrât, les polît en casque hardi, très haut au-dessus de la nuque élancée. Je voudrais garder à mon amie Valentine son charme acide de blonde honnête et reluisante, piquante, pointue et cambrée comme une fourchette de vermeil. Je voudrais...

Mais il s'agit bien de cela ! Elle accomplit sous mes yeux, avec une ferveur imbécile, les rites que prescrit la Mode ! La chevelure descend, abaisse le front, cache les petites oreilles enfantines et la nuque argentée. Si le menton en paraît plus lourd, et plus courte l'encolure, ce n'est pas mon affaire... Un « dégradé » savant, du blanc au pourpre, couvre les joues si richement que j'ai envie d'y écrire mon nom, du bout de l'ongle, en pleine poudre...

Sur le long corset élastique, la femme de chambre glisse la robe du soir, — une sorte de *zaïmph* compliqué, brodé et rebrodé, peint, tailladé, gâché en lambeaux luxueux, dont l'un bride la gorge, l'autre les genoux, le troisième remonte en avant le long de la jupe pour s'y agrafer, à mi-hauteur, de la manière la plus saugrenue et la plus indiscrètement précise.

Une chaude et barbare imagination de coloriste a prodigué sur cette étoffe l'orange et le violet, le vert des colliers de Venise et le bleu-noir des saphirs, mêlés d'or ; mais un « maître de la mode » a chiffonné tout cela avec sa fantaisie de gnome méchant et d'illettré. Puis une femme est venue, — c'est mon amie Valentine — et s'est écriée : « Moi aussi, je suis Schéhérazade, — comme tout le monde ! »

Elle se pavane devant moi, cagneuse et rythmique. Elle a chargé sa légère et blonde beauté de tout ce qui sied à une sultane pâle et ronde comme la lune. Une pierre d'Orient, précieuse, en forme de larme, scintille entre ses sourcils, étonnée d'éteindre, par ses feux brefs, deux yeux occidentaux d'un bleu modeste... Mon amie vient de fixer sur sa tête, par surcroît, une aigrette longue, en poussière d'astres...

Les Péris, au paradis persan, avaient cette étoile au front et cette nuée vaporeuse. Mais les pieds de mon amie se dérobent sous un jupon très grec, aux plis égaux et souples, que serre aux genoux une draperie hindoue. Sa main taquine et dispose le pan carré d'une ceinture de Byzance, à dessins perlés égyptiens...

Heureuse et grave, elle se mire, sans se douter qu'il lui arrive... Eh, mon Dieu, il lui arrive la même chose qu'à tant de jeunes Parisiennes claires de teint, pointues du nez et du menton, pauvres en chair et en cils, dès qu'elles se déguisent en princesses d'Asie : elle a l'air d'une petite bonne.

Mon amie Valentine s'assit, se poudra les ailes du nez, le creux du menton et, les politesses amicales échangées, se tut. J'en conçus de la surprise, car, les jours où nous n'avons rien à nous dire, mon amie Valentine brode avec aisance sur le thème : « Ah ! que les sujets de conversation se font donc rares ! » trois bons quarts d'heure de palabre étincelante...

Elle se tut et je vis qu'elle avait changé quelque chose à son port de tête. D'un air un peu craintif, elle donnait du front en avant et me regardait en dessous :

— J'ai coupé mes cheveux, avoua-t-elle tout d'un coup, et elle enleva son chapeau.

Les beaux cheveux blonds sur la nuque, montraient leur section toute fraîche, encore rebelle au fer, et une raie à gauche laissait jouer sur le front une grosse vague à la Chateaubriand.

— Ça ne me va pas mal, n'est-ce pas ? questionna mon amie avec une fausse hardiesse.

— Non, assurément.

— Je viens de chez les Hicks, ils m'ont fait mille compliments, M. Hicks m'a dit que je ressemblais... devinez ?

— A une convalescente de la fièvre typhoïde ?

— Trop bonne, vraiment... Mais vous n'y êtes pas.

— A Dujardin-Beaumetz, en plus tondu ? A Drummont, sans lunettes ?

— Non plus. A une pairesse anglaise, ma chère !

— Ils connaissent des pairesses anglaises, les Hicks ?

— Vous déplacez la question, comme d'habitude. Est-ce que ça me va bien, ou mal ?

— Bien. Très bien, même. Mais je songe à

cette longue chevelure qui n'est plus qu'une herbe morte et dorée, maintenant... Dites-moi, pourquoi vous êtes-vous coupé les cheveux, vous aussi, vous comme tant d'autres ?

Mon amie Valentine haussa les épaules :

— Est-ce que je sais !... Une idée comme ça. Je ne pouvais plus me supporter en cheveux longs... Et puis, c'est la mode. En Angleterre, il paraît que...

— Oui, oui. Mais encore ?

— Charlotte Lysès a bien coupé les siens, dit-elle évasivement. Et même Sorel... Je ne l'ai pas vue, mais on m'a dit qu'elle portait les cheveux « à la gladiateur antique ». Et Annie de Pène, et cent autres femmes de goût que je pourrai vous citer, et...

— Et Polaire.

Mon amie fit une pause d'étonnement :

— Polaire ? elle n'a pas les cheveux coupés, elle.

— Je croyais.

— Elle porte les cheveux courts très longs. Ça n'a aucun rapport avec la mode actuelle. Polaire porte les cheveux de Polaire. Je n'ai pas pensé une minute à Polaire en me coupant les cheveux.

— A quoi avez-vous pensé ? Je voudrais essayer de savoir, par vous, pourquoi les femmes fauchent contagieusement, au ras de l'oreille, tant de chevelures jusqu'alors choyées, ondulées, parfumées...

Elle se leva avec impatience, marcha en secouant sa mèche romantique :

— Vous êtes drôle... Je ne sais pas, moi. Je ne pouvais plus supporter mes cheveux longs, je vous dis. Et puis il fait chaud. Et puis cette tresse, la nuit, qui me tirait la nuque, qui se roulait autour d'un de mes bras...

— Trente années n'avaient pu vous accoutumer à ce beau câble ?

— Il faut croire. Vous me questionnez, je vous réponds, et encore parce que je suis bien gentille. Tenez, l'autre matin, ma natte s'est trouvée prise dans un tiroir de la commode, que j'avais refermé brusquement. J'ai horreur de ça. Et puis, au moment des alertes, ça devenait un supplice ; on n'aime pas être grotesque même dans une cave, n'est-ce pas, avec un chignon qui croule d'un côté, s'effiloche de l'autre. A cause de ces cheveux, j'aurais eu le temps de mourir mille fois... Et puis, enfin, ça ne se raisonne pas. J'ai coupé mes cheveux parce que j'ai coupé mes cheveux.

Devant la glace, elle assagit ses boucles, donne de l'air à sa vague 1830, avec des gestes nouveaux. Combien de nouveau-tondues ont déjà invoqué, pour excuser le même vandalisme, des raisons de coquetterie, de panurgisme, d'anglophilie — et même d'économie ! — avant d'en arriver au : « Est-ce que je sais, moi ? »

— Mes névralgies... trouvait l'une.

— Vous comprenez, j'en avais assez de m'oxygéner, il fallait bien renouveler le cheveu... expliquait l'autre.

— C'est plus propre, imaginait une troisième. On se savonne la tête en même temps que le reste, dans la baignoire...

Mon amie Valentine n'a point ajouté, à ce lot de vérités modestes, l'appoint d'un mensonge inédit. Mais son attitude, à elle aussi, est celle d'une prisonnière qui vient de rompre sa chaîne. Je puis donc m'amuser — dans la libre coquetterie d'une tête où ne pèse plus la torsade épinglée, dans la fierté d'un front où le vent éparpille une frisure un peu masculine, — m'amuser à lire, ou à imaginer la joie d'avoir secoué une vieille crainte que la guerre, l'approche de l'ennemi avaient tirée d'un long oubli, et le souvenir à peine conscient, de la fuite éperdue des femelles devant les barbares alors qu'elles couraient nues et que l'étendard de leur chevelure, derrière elles, se nouait soudain au poing du ravisseur...

★

J'avais écrit à mon amie Valentine : « Venez, on va vendanger. » Elle vint, en souliers de toile sans talons, en jupe couleur d'automne ; un chandail vert vif, un autre rose ; un chapeau de coutil, un autre de velours et tous deux, comme elle dit, « invertébrés ». N'était qu'elle nomme une limace colimaçon, et qu'elle demande si la chauve-souris est la femelle du chat-huant, on ne l'aurait pas prise pour une « personne de Paris ».

— Vendanger ? s'étonna-t-elle. Vraiment ? malgré la guerre ?

Et j'entendis bien qu'elle blâmait en son for intérieur tout ce que ce beau mot de vendanges semble promettre et rappeler de liberté assez licencieuse, de chants et danses, de propos lestes et de gourmandise... Ne dit-on pas traditionnellement : « la fête des vendanges ? »

— Malgré la guerre, Valentine, avouai-je. Que voulez-vous ? on n'a pas encore trouvé le moyen de récolter le raisin sans vendanger. Il y a beaucoup de raisins. Nous ferons, avec du raisin savoureux, plusieurs pièces de ce vin qu'on boit jeune et qui ne gagne rien à vieillir, du vin qui est dur à la bouche comme un juron, et que les paysans célèbrent ainsi qu'on loue un boxeur : « Il est fort, le bougre ! » faute de lui découvrir d'autres vertus.

Il faisait si beau, le jour de la vendange, il faisait si bon s'attarder en chemin, que nous n'arrivâmes à la côte que vers dix heures, l'heure où les haies basses et les prés ombragés trempent encore dans le bleu et le froid d'une rosée ruisselante, tandis que l'actif soleil limousin pique déjà la joue et la nuque, chauffe la pêche tardive sous sa peluche de coton, la poire solidement pendue et la pomme, trop lourde cette année, qu'un coup de vent détache... Mon amie Valentine s'arrêtait aux mûres noires, aux scabieuses velues, même aux épis de maïs oubliés dont elle forçait la robe sèche et gobait les grains comme une petite poule.

Tel le guide, dans le désert, marche en avant et promet au voyageur distancé l'oasis et la source, je lui criais de loin : « Allons ! plus vite ! les raisins sont meilleurs, et vous boirez le premier jus hors de la cuve, vous aurez le lard et la poule au pot !... »

Notre entrée dans la vigne n'y causa point d'émoi. La tâche pressait, et d'ailleurs notre ajustement ne requérait ni la curiosité ni même la considération. Mon amie avait accepté, pour la sacrifier au sang des raisins, que je lui prêtasse une vieille jupe quadrillée, qui depuis 1914 en avait vu bien d'autres, et mes élégances personnelles n'allaient pas au delà de la blouse-tablier, en satinette à pois. Quelques têtes tannées se levèrent au-dessus des cordons de vigne, des mains tendirent vers nous deux paniers vides, et nous nous mîmes au travail.

Comme mon amie Valentine ciselait ses grappes en brodeuse, à coups de ciseaux délicats, un vieux faune hilare et muet se donna le plaisir, en surgissant en face d'elle, de lui causer quelque frayeur, puis de lui montrer sans paroles comment la grappe quitte le cep et choit dans le panier, si l'on sait pincer un point de suspension secret, révélé aux doigts par un petit abcès, un renflement où la tige rompt comme verre. L'instant d'après, Valentine vendangeait sans ciseaux, aussi vite que son faune instructeur, et je ne voulus pas qu'elle fît mieux ni plus que moi, aussi le soleil d'onze heures ne tarda-t-il pas à nous mouiller la peau et sécher la langue.

Qui donc a prétendu qu'on se désaltère de raisins ? Ceux-ci, limousins greffés de plant d'Amérique, craquelés à force d'être mûrs, poivrés à force de sucre, poissant la jupe, s'écrasant dans le panier, nous enflammaient de soif et grisaient les guêpes. Cherchait-elle, mon amie Valentine, en se reposant debout de moment en moment, cherchait-elle sur le coteau, parmi le va-et-vient bien réglé des « panières » vides et pleines, l'enfant échanson qui eût apporté un pot de terre plein d'eau fraîche ? Mais les enfants ne portaient que grappes et grappes, et les hommes — trois vieilles cariatides aux muscles dépouillés — ne convoyaient que des comportes teintes de pourpre, vers le cellier béant de la métairie, en bas du coteau...

L'allégresse du matin pur s'en était allée. Midi, c'est l'heure sévère où se taisent les oiseaux, où l'ombre raccourcie se tapit au pied de l'arbre. Une chape de lourde lumière écrasait les toits d'ardoise, aplatissait le coteau, effaçait le pli ombreux du vallon... Je regardais descendre, sur mon active amie, la mélancolie et la paresse de midi. Elle cherchait autour d'elle, parmi le travail silencieux, une gaîté qu'elle eût blâmée peut-être ? un secours, — qu'elle n'attendit pas longtemps.

A la cloche d'un village répondirent des murmures d'aise, des claquements de sabots sur les sentes durcies, et le cri lointain :

— A la soupe ! à la soupe ! à la soupe !

La soupe ? Bien plus et bien mieux que la soupe, à l'abri d'un hangar de roseaux tendu de draps écrus, épinglés de ramilles à glands verts, de volubilis bleus et de fleurs de potiron. La soupe et tous ses légumes, oui, mais aussi la poule bouillie, le plat-de-côte, le lard rose et blanc comme un sein, le veau dans son jus. Quand la vapeur de ce festin toucha les narines de mon amie, elle sourit de ce sourire répandu, inconscient, qu'on voit aux nourrissons alourdis de lait et aux femmes bien rassasiées de plaisir...

Elle s'assit en reine, à la place d'honneur, plia sous elle sa jupe tachée de pourpre, releva ses manches et tendit cavalièrement son verre à son voisin de droite, pour qu'il l'emplît, avec un rire gamin. Je vis à l'air de son visage qu'elle allait l'appeler « mon brave »... Mais elle le regarda, se tut et se tourna vers son voisin de gauche, puis vers moi comme pour quêter aide et conseils... C'est que le protocole campagnard l'avait assise entre deux vendangeurs qui portaient, un peu courbés tout de même sous un tel poids, cent soixante-six années à eux deux. L'un fin, séché, transparent, l'œil bleuâtre, le cheveu impalpable, qui vivait dans un silence de vieux follet. L'autre, encore géant, les os bons à faire des massues, cultivait seul une parcelle de terre dont il vantait d'avance, par défi à la mort, les asperges qu'il en tirerait, « dans quatre ou cinq ans ! »

Je vis le moment que Valentine, entre ses deux vieillards, perdait sa gaîté, et je lui fis porter le litre de cidre par un page propre à la distraire, un de ces garçons épanouis, un peu lourds pour leurs seize ans, tout aussi beaux, — le front soumis et sournois, l'œil jaune et le nez à l'arabe, — que les bergers cent fois vantés de l'Italie. Elle lui sourit, sans lui accorder beaucoup d'attention, car une préoccupation statistique l'avait prise. Elle demanda son âge au vieillard éthéré, puis à l'octogénaire puissant. Elle se pencha pour savoir celui d'un autre tâcheron frisé et ridé, qui n'avoua que soixante-treize ans. Elle cueillit aux bas bouts de la table des chiffres encore notoires, — soixante-huit et soixante et onze — se mit à marmotter tout bas, à additionner les lustres et les siècles, et fut moquée par une gaillarde cinq fois mère, qui lui cria de sa place :

— Té, vous les aimez comme le vin, donc, avé la toile d'araignée sur le bouchon !

D'où des rires cassés et des rires jeunes, des

commentaires en patois et même en français très clair, qui donnèrent à mon amie de la rougeur et un renouveau d'appétit. Elle voulut encore du lard, et tailla le pain de fraude, pétri de froment pur, bis, mais succulent, et exigea du géant noueux un récit de la guerre de 70. Il fut bref.

— Té, que dire ? ce n'est pas bieng beau à faire voir... Je me souvieng que tous tombaient autour de moi, et mouraient dans leur sang... Moi, rieng... Ni une balle, ni un coup de baïonnette. Je suis resté debout, et eux par terre... Qui sait pourquoi ?

Il se tut avec indifférence, et les femmes autour de nous s'assombrirent. Jusque-là, nulle mère privée de ses fils, nulle sœur habituée à fournir sans frère double besogne, n'avait parlé de la guerre et des absents, ni gémi d'une fatigue de trois années... La métayère, bouche serrée, s'affairait à donner les verres épais pour le café, mais elle ne dit rien de son fils, l'artilleur. Un métayer à poil gris, très las, le ventre bridé dans sa ceinture herniaire, ne parla pas de ses quatre fils : l'un mangeait des raves en Allemagne, deux se battaient, le quatrième dormait sous une terre mitraillée... D'une très vieille femme, assise non loin de la table sur une javelle, sortit ce mot :

— Toute cette guerre, c'est la *fote* des barons...

— Des barons ? s'enquit Valentine très intéressée. Quels barons ?

— Les barons de France, dit la voix cassée. Et ceusse d'Allemagne ! Toutes les guerres sont venues par la *fote* des barons.

— Comment ça ?

Mon amie la contemplait avidement, avec l'air d'espérer que les haillons noirs allaient tomber, la femme se dresser en hennin et corps de vair en s'écriant : « Eh bien ! moi, je suis le quatorzième siècle ! » Mais rien de pareil n'arriva, la vieille secoua seulement la tête, et l'on n'entendit que les guêpes ivres et confiantes, le souffle d'un petit train lointain, et le mâchonnement de gencives du vieillard transparent...

Cependant, j'avais rompu d'un coup de poing la galette de maïs, et le café tiède emplissait encore les verres, que les vendangeurs se détournaient déjà vers le coteau embrasé.

— Comment, s'étonna Valentine, point de sieste ?

— Que si ! Mais pour vous et moi seulement. Venez sous les aveliniers, nous pourrons nous laisser fondre tout doucement de chaleur et de sommeil. La vendange se refuse la sieste que s'accorde la moisson. Les voilà déjà au travail, tenez...

En quoi je mentais, car la file montante des hommes et des femmes venait de s'immobiliser, attentive...

— Qu'est-ce qu'ils regardent ?

— Quelqu'un vient par le pré... deux dames.

Elles font des signes aux vendangeurs... Ils les connaissent. Vous avez invité des voisines de campagne ?

— Aucune. Attendez donc, je connais ce bleu de robe-là, il me semble. Mais... Mais, c'est...

— Ce sont... Mais oui, parfaitement !

Pas pressées, coquettes, l'une sous un chapeau de paille, l'autre sous une ombrelle blanche, s'avançaient nos deux femmes de chambre. La mienne balançait, au-dessus de deux petits souliers de chevreau kaki, une jupe de serge bleue qui faisait valoir le linon safran de la blouse. La soubrette de mon amie, toute mauve, laissait deviner ses bras nus dans des manches ajourées, et sa ceinture de daim blanc comme ses souliers, étreignait une taille que la mode eût peut-être voulue moins frêle...

De notre cachette d'ombre, nous vîmes dix hommes accourir près d'elles, vingt mains les héler sur la pente raide, tandis que des fillettes envieuses portaient leurs ombrelles. Le vieux géant, soudain animé, assit une femme de chambre sur une comporte vide et hissa le tout sur ses épaules ; — un bel adolescent bronzé respirait le mouchoir dérobé à l'une des deux jeunes femmes... L'air pesant leur semblait léger, depuis que deux rires féminins, affectés, prolongés exprès, l'ébranlaient...

— Elles ont fait des frais, mâtin ! murmura mon amie Valentine. C'est ma robe mauve de

Dinard d'il y a trois ans. Elle a refait le devant du corsage...

— Vraiment ? fis-je à demi-voix. Louise a ma jupe de serge d'il y a deux ans. Jamais je ne l'aurais crue aussi fraîche. On trouvait encore des serges magnifiques, dans ce temps-là... Du diable si je sais pourquoi je lui ai donné ma blouse jaune ! j'en ferais bien mes dimanches, cette année...

Je jetai un coup d'œil involontaire sur mon tablier-blouse à pois, et je vis que Valentine pinçait, entre deux doigts méprisants, ma vieille jupe quadrillée, tachée de raisins. Au-dessus de nous, sur le coteau rissolé, la jeune femme mauve et la jaune marchaient parmi des rires flatteurs, des exclamations satisfaites. L'élégance, le parisianisme, la dignité châtelaine dont nous avions sevré les vendanges ne manquaient plus, grâce à elles, et les rudes travailleurs redevenaient pour elles galants, jeunes, audacieux...

Une main, celle d'un homme agenouillé, invisible entre les ceps, leva vers nos femmes de chambre un rameau chargé de raisins bleus, et toutes deux, au lieu d'emplir des paniers, grapillèrent.

Puis elles s'assirent sur leurs mouchoirs dépliés au bord d'un talus, ombrelles ouvertes, pour regarder la vendange, et chacun rivalisa d'ardeur devant leur bienveillante oisiveté.

Notre silence durait depuis longtemps, lorsque

mon amie Valentine le rompit par ces mots, indignes assurément de la grande pensée qu'ils exprimaient :

— Ah ! là là... Vivement la Féodalité !...

Il y a dans le boudoir Restauration de mon amie Valentine, — pour elle l'époque « Restauration » embrasse, généreuse et anachronique, le quinzième siècle, le Directoire, le second Empire et jusqu'au Grévy's-style — il y a un petit tableau qui est de Breughel de Velours. De la neige tournée à l'or enfumé, une maisonnette à toit pointu d'où fusent des rayons miraculeux, et, convergeant vers la maisonnette, des théories de gnomes bourgeois en bonnets fourrés, — bref, une *Nativité* de Breughel de Velours, ce qu'un antiquaire nomme un « beau bibelot » ou « une petite merveille», selon que l'antiquaire est bon enfant ou distingué.

Chez mon amie Valentine, je bois souvent du thé que je n'aime pas, en regardant le Breughel que j'aime. Distraitement, j'ai demandé hier à mon amie :

— Valentine, d'où vous vient ce petit tableau ?

Elle rougit :

— Pourquoi me demandez-vous ça ?

— Je ne croyais pas avoir été indiscrète.

Elle rougit davantage :

— Quelle idée !... Il n'y a pas la moindre indiscrétion, voyons... C'est un souvenir de famille. Il m'a été donné en 1913, par ma tante Poittier.

— Votre tante Poittier ? Laquelle ? Vous avez autant de tantes et d'oncles Poittier qu'il y a de pépins dans une pastèque !

Elle s'agita avec malaise :

— Ah ! oui... justement... Vous aviez bien besoin de me rappeler cette histoire, où j'ai joué un rôle... un rôle...

— Louche ?

— Presque. Vous ne me laisserez pas tranquille que je ne vous l'aie racontée, n'est-ce pas ? C'est en 1913 que ma tante Poittier...

— Laquelle ?

— La tante Olga. Vous ne la connaissez pas. Ma tante Poittier, en 1913, perd son fils unique...

— Un petit garçon, si je me rappelle ?

— Oui, un petit garçon dans les quarante-huit ans. Alors, comme rien ne la retenait plus à Chartres, elle vint habiter Paris, avec l'oncle Poittier. Ils s'installèrent rue Raynouard, mais, comme ils se sentaient très seuls, ils passaient presque tout leur temps chez l'autre oncle Poittier...

— Lequel ?

— Celui de la place d'Iéna, Paul Poittier, le frère... Mais puisque je vous dis que vous ne connaissez pas !... Et comme tante Marie habitait à cette époque le boulevard Delessert...

— Qui, tante Marie ?

— Oh !... Tante Marie Poittier, voyons, la femme du troisième frère, vous ne la connaissez pas ! Si vous m'interrompez tout le temps...

— Je me tais.

— ... Ils étaient donc très contents de voisiner à leur aise ; moi, ça m'était commode pour faire ma tournée mensuelle de visites familiales. En 1913, j'étais allée passer les vacances de Pâques chez les Charles...

— Les Charles qui ? Charles Poittier ?

— Non, les Charles Loisillon.

— Ah ! bon, j'aime mieux ça.

— Pourquoi ?

— Ces Loisillon me plaisent, parmi la foule indistincte des Poittier, comme un peuplier dans une plaine ingrate. Continuez, je vous en prie.

— Qu'est-ce que je disais ? Ah ! oui... Donc, chez les Charles, je reçois une dépêche de maman ! « Oncle décédé hier. Obsèques demain. Réunion place d'Iéna, demain matin, dix heures précises. » J'emprunte le voile de crêpe, la cape noire de ma cousine Charles, ses gants noirs, je saute dans le train, où je passe la nuit. J'arrive à la maison mortuaire, chez cette pauvre tante Olga, en retard d'une demi-heure. Une nuit de chemin de fer, l'estomac vide, mon voile de crêpe... J'y voyais à peine et je ne tenais plus debout, et puis cette odeur de fleurs meurtries, dès l'escalier... Dans le grand salon de tante Olga, il y avait une muraille de dames assises, voilées jusqu'aux pieds de crêpe épais. Je me mis à les embrasser toutes, et je murmurais : « Oh ! ce pauvre oncle..., croyez-vous... » On est si bête, quand on n'a pas de chagrin, n'est-ce pas...

Tout de même, je reconnus la bonne main ferme de maman, et son parfum de violette, et je me collai à sa jupe comme quand j'étais petite. Je lui dis tout bas : « Mais comment est-ce arrivé ? » Elle n'eut pas le temps de me répondre, car une autre muraille noire, plus haute, celle des hommes en grand deuil, se mettait en mouvement vers nous, et nous nous levâmes. L'oncle Edme...

— Qui, l'oncle Edme ?

— Un oncle éloigné, — vous ne connaissez pas — vint m'embrasser, et puis un autre cousin, et puis deux collégiens en gants de laine, et d'autres parents, et enfin un grand vieillard sec, aux yeux rouges, qui me baisa la main et me dit :

— Ma chère nièce, comme vous êtes bonne d'être revenue...

Il se redressa : je poussai un grand hurlement et je tombai à la renverse dans je ne sais quels bras.

— Parce que ?...

— Le mort était devant moi, en cravate blanche, et me remerciait d'être revenue... Revenue ! Eh bien et lui, donc !... On m'emporta, évanouie, et je ne me remis qu'en apprenant que je m'étais trompée d'oncle, que le vrai mort ayant trépassé d'une embolie, chez son frère, on ne l'avait pas transporté rue Raynouard et...

— J'ai compris. Mais que vient faire le petit tableau de Breughel, là-dedans ?

Mon amie baissa les yeux :

— Voilà... Vous jugez quel désordre ma crise de nerfs et ma syncope jetèrent dans la cérémonie. Ma mère s'éventait, me faisait respirer des sels, en disant à tante Olga, la femme du mort...

— Du faux mort ?

— Mais non, du vrai !... Dieu, que vous êtes agaçante !... en disant à tante Olga :

« C'est le chagrin... le saisissement... ma pauvre petite fille est si sensible, si affectueuse... » Un mois après, la tante Olga m'envoyait ce Breughel « en souvenir », — j'en ai honte encore ! — « en souvenir de l'oncle Poittier que sa petite Valentine aimait tant ». Que devais-je faire ? Avouer que je m'étais trompée d'oncle ? J'ai gardé le Breughel. Il est tellement joli...

Mon amie prit sa serviette à thé pour essuyer doucement la neige dorée de la *Nativité,* et poussa un soupir où je voulus voir autant de remords que de délectation.

LA VICTIME

Les douze premiers mois de la guerre, ç'avait été un tour de force quotidien, pour elle et pour nous, de la maintenir en vie, une sorte de jeu âpre, de défi au mauvais sort. Elle était si jolie qu'elle n'aurait eu pour vivre, mon Dieu, qu'à se laisser rouler... Mais cette beauté, justement, et puis son grade de petite femme qui avait eu son « ami » tué dès 1914, nous apitoyaient. Nous prétendions lui garder sa mince auréole, lui donner, pendant son veuvage, du pain d'abord, et puis ce luxe : la chasteté.

Tâche plus malaisée qu'il ne vous semble, car nous avions affaire à une délicatesse bizarre de faubourienne sentimentale et de commerçante probe. Josette consentait que tout peut se vendre et s'acheter, même un sein révolté, même une bouche insensible. Mais le don pur et simple la trouvait soudain farouche et rouge d'orgueil blessé :

— Non, merci bien, je n'ai pas besoin... Non, nous ne sommes pas d'accord pour la petite note du blouson, je vous redevais cinquante sous de la semaine dernière...

Nous étions obligées, pour qu'elle ne dépérît pas ou qu'elle ne retournât point, morne, vers un trafic dont elle avait d'avance le dégoût, de la faire coudre, repasser, tendre des abat-jour...

Elle ne voulait travailler que chez elle, au diable, dans une « chambre avec cabinet de débarras », meublée principalement de photographies, où flottait, sous une saine odeur triste de gros savon, le parfum distingué d'une enfant brune à peau blanche.

Elle arrivait gaiement, l'hiver de 1914, rapporter l'ouvrage :

— C'est moi ! Ne vous dérangez pas !

Une toque, ou je ne sais pas quoi, une jupe entravée qui brisait sa marche impatiente, des bottines tournées, — car ses petits pieds dansaient ironiquement dans nos chaussures — et le tour de cou de poil râpé qu'elle préférait — plus « chic » ! — au manteau offert par l'une de nous. Et des gants ! — mais parfaitement ! mais toujours ! — des gants. Sa beauté lisse humiliait cette misère. Je n'ai rien rencontré de plus lisse que cette enfant, aux cheveux noirs jamais frisés ni ondulés, collés d'une main artiste à des tempes suaves, et miroitants comme un bois précieux oint d'huile fine. L'œil bombé et pur, la joue élastique, la bouche et le menton semblaient dire à tous : « Voyez combien, avec le minimum de friselure, nous pouvons séduire ! »

— Je vous rapporte la petite jupe, expliquait Josette. Je n'ai pas bordé le bas, ça aurait été plus solide, mais ça fait commun. Parce que c'est la guerre, ce n'est pas une raison de faire commun, n'est-ce pas ? Et pour la blouse que vous vouliez que je vous coupe dans le manteau du soir, savez-vous ce que j'ai trouvé en le décousant ? Grand comme ça de rentré ! De quoi faire un grand col marin en pareil !

Elle brillait de la joie de s'employer, de payer, de n'être point à charge. Elle avait toujours « déjeuné avant de venir », et nous usions de subterfuges pour qu'elle emportât une demi-livre de chocolat :

— Josette, on m'a donné ce chocolat-là, je n'ai pas confiance, ça doit être de la drogue... Dévouez-vous, essayez-le, vous me direz s'il vous a rendue malade...

Elle accepta de Pierre Wolff un sac de charbon, parce que je lui dis que l'auteur dramatique l'avait remarquée dans une figuration des Folies et gardait d'elle un souvenir troublé.

Elle ne parlait presque jamais de son « petit ami », comédien obscur tué à l'ennemi. Mais elle se penchait parfois sur les images des magazines illustrés de 1913 :

— Vous vous rappelez *de* cette revue-là ? C'était bien monté, il n'y a pas... Et croyez-vous ma chance ? L'auteur devait me donner un petit rôle dans sa revue suivante ! Elle est loin, sa revue suivante !...

On entre-bâilla pourtant un théâtre, deux théâtres, dix théâtres, et des cinémas. Josette ne tenait plus en place !

— Il y a les Gobelins-Montrouge-Montparnasse qui vont faire une saison de drame, vous savez ? Et puis, il y a Moncey qui veut prendre une saison d'opérette, et Levallois aussi... Seulement, le tout, c'est de savoir si les artistes auront le métro pour s'en aller. A Levallois, on n'aura ni métro ni tram, nature...

Elle disparut, pendant trois semaines, reparut maigrie, enrhumée, fière :

— J'ai un engagement, madame ! *Miss Helyett* trois fois par semaine, je jouerai un des guides et peut-être encore un autre petit rôle ! Trois fois la semaine, et deux fois le dimanche !

— Combien gagnez-vous ?

Elle baissa les yeux :

— Dame, vous savez, *ils* profitent que c'est la guerre... Ça me fait trois francs cinquante par jour de représentation. Les autres jours, nature, on n'est pas payés... Et on change de spectacle toutes les quinzaines, il faut répéter quand même tous les jours... C'est pour vous expliquer que je n'ai pas eu le temps de vous finir la petite combinaison-culotte...

— Ça ne presse pas... Et comment rentrez-vous le soir chez vous ?

Elle rit :

— Le train onze, nature. Une heure et demie de marche. J'userai plus de souliers que de pneumatiques. Mais ils m'ont dit que j'aurais peut-être un rôle dans *Les Mousquetaires au couvent...*

Comment la retenir ? Elle rayonnait de liberté, d'activité, de fatigue et de fièvre théâtrales... Elle partit, pour des mois...

En août 1916, j'achetais un jouet d'enfant dans un de ces bazars de la charité où l'on débite, avec des paquets de café, des colliers en perle de bois teint, des corbeilles de raphia et des lainages, et j'attendais qu'une acheteuse élégante me laissât la place au comptoir :

— Çui-là, et puis çui-là, oui, le chandail bleu, et puis les quat'sac de café, disait-elle. Ça nous fait quat'envois séparés, colis militaires ; je vous mets les adresses en écrit, mademoiselle. Les petites corbeilles, c'est pour emporter dans ma voiture...

— Dans votre voiture, Josette !

— Oh ! madame... Cette surprise ! C'est vous que je vais emporter dans ma voiture, si, si, rien qu'une minute, le temps de vous poser chez vous...

Elle ne m'avait pas avertie que « sa » voiture automobile contenait déjà un homme grisonnant à peine et de bonne façon, à qui elle intima l'ordre de déplier, pour lui, un des strapontins. Elle s'assit près de moi et parla avec un air, forcé, d'oublier l'homme. Il la regardait comme un esclave, mais les yeux noirs de Josette ne se posèrent pas une seule fois sur lui. Elle déganta l'une de ses mains où des bagues scintillèrent ;

l'homme emprisonna au passage cette main voletante et la baisa longuement. Elle ne la lui retira point mais elle ferma les yeux et ne les rouvrit que lorsqu'il se fut redressé. Après un court silence, la voiture atteignit ma maison et Josette commanda à l'homme :

— Descendez donc, vous voyez bien que votre strapontin gêne madame pour passer.

Il obéit vivement, s'excusa et Josette, en me quittant, me promit de venir me voir :

— Dès que les répétitions à Edouard VII sont finies, j'arrive.

Elle vint quelques jours plus tard, toute en linon et en « fourrures d'été », un fil de perles au cou, balançant un sac de moire et de brillants. Mais elle n'avait rien changé à sa coiffure, et ses cheveux sans plis ni boucles serraient toujours ses tempes d'enfant japonais.

— Ma petite Josette, je n'ai pas besoin de vous demander ce qui vous est arrivé...

Elle secoua la tête :

— Tous les malheurs, nature ! Je suis tombée au rang de nouvelle riche.

— Il y paraît. Vous êtes dans le haricot sec ou dans les projectiles ?

— Moi, dans rien ; — lui... oh ! il peut bien acheter ou vendre n'importe quoi - qu'est-ce, il ne m'intéresse pas.

— Ecoutez, pour un fournisseur de la guerre, il est très bien.

— Oui, il est très bien. C'est pourtant vrai qu'il est très bien.

Elle contemplait sans les voir ses beaux souliers de daim blanc, et son visage, pourtant éclairé de perles, de linon neigeux, de fourrure pâle et de soie, semblait avoir perdu sa lumière.

— Si je comprends, Josette, vous regrettez le temps où...

— Pas du tout, interrompit-elle nettement. Ne croyez pas ça ! Pourquoi voulez-vous que je regrette un temps où j'avais froid, où je ne mangeais pas assez, où je courais dans la crotte et la neige, où sans vous et ces dames j'aurais tombé malade ou pire ? Pas du tout ! Je suis de mon pays, moi, j'aime ce qui est bon. Du moment que je n'ai plus personne au front, que quelques petits copains que je soigne en souvenir de Paul, pourquoi donc ça ne serait pas moi, la dame à l'auto et au collier, au lieu de la locataire d'en dessous ? Ce qui est juste est juste. A tant faire ce que je fais, je les vaux, je pense, les renards bleus et les chemises en tulle... C'est bien le moins, puisque par rapport à cet homme-là, que vous avez vu, je suis la victime !...

Je ne dis rien. Elle sentit, finement, que ses paroles m'éloignaient d'elle et s'élança :

— Madame, Madame, vous ne savez pas... Vous pensez du mal... Je vous jure, Madame...

Elle faillit pleurer et se domina :

— Madame, cet homme-là, vous l'avez vu.

On n'a pas besoin d'être sorcier pour comprendre que cet homme-là il n'y a pas mieux que lui. Madame, il est bon. Madame, il est délicat, et soigné, il est tout, — ce qui n'empêche pas que je suis la victime.

— Mais pourquoi, mon petit ?

— Pourquoi ? Mais tout bonnement parce que je ne l'aime pas, et que je ne l'aimerai jamais, Madame ! Si encore il était laid, et dégoûtant, et rapiat, je me consolerais, je me dirais : « C'est tout naturel que je ne peux pas le voir. Il m'achète, je l'abomine, tout est régulier... Mais cet homme-là, Madame, que je n'aime pas parce que je ne l'aime pas, ah ! mon Dieu, ce que je peux me faire de mauvais sang à cause de lui...

Elle se tut un moment, cherchant des mots, des exemples !

— Tenez, n'est-ce pas, il me donne cette bague-là avant-hier. Et d'une si gentille manière ! Alors, moi, je me mets à pleurer... Il m'appelle : « Ma petite sensitive ! » et moi je pleurais en pensant au plaisir que ça m'aurait fait, de recevoir une bague de quelqu'un que j'aurais aimé, et je lui en voulais, je lui en voulais que je l'aurais mordu...

— Quelle enfant vous faites, Josette...

Elle frappa le bras du fauteuil, irritée :

— Non, Madame, il y a erreur, excusez ! On n'est pas si enfant que ça, à Paris, à vingt-cinq ans. L'amour, je sais ce que c'est, j'y ai passé. J'ai un caractère très amoureux, sans que ça paraisse. C'est ce qui fait que cet homme-là, je me considère comme sa victime, et je suis jalouse de lui, à m'en rendre malade.

— Jalouse ?

— Oui, envieuse. J'envie tout ce qu'il a, puisqu'il aime, et que je ne peux pas avoir. L'autre jour, la petite Peloux me dit à la répétition : « Il a une jolie bouche, ton ami, il doit bien embrasser. — J'en sais rien », que je lui fais. Et c'est vrai que j'en sais rien. Ce n'est pas moi qui peux le savoir. C'est la femme à qui il plaira. Moi, je mourrai sans savoir s'il embrasse bien ou mal, s'il fait l'amour bien ou mal. Quand il m'embrasse, ma bouche devient comme... comme rien. C'est mort, ça ne sent pas. Mon corps aussi. Tandis que lui, si peu que je lui donne, — il faut voir sa figure, ses yeux... Ah ! c'est mille fois plus que tout ce que je reçois ! Dix mille fois !...

« ... Alors, n'est-ce pas, les nerfs... Ça arrive que je deviens méchante. Je me revenge, je le brusque. Je lui en fais tant qu'une fois il a pleuré. Ça, c'était le comble ! Je ne lui ai plus rien dit, j'aurais été trop loin. C'est que je sais ce que c'est, moi, que d'avoir dans sa vie un être qui n'a qu'un mot à dire pour vous mettre au ciel ou dans l'enfer !... Moi, je suis cet être-là pour lui. Il a tout, Madame, il a tout ! Et lui, il ne peut rien faire pour moi, Madame, rien, — pas même mon malheur !... »

Elle éclata en sanglots, mêlant ses larmes véhémentes de : « Dites, Madame, est-ce que j'ai tort, dites ? » Mais je ne trouvai rien — et je n'ai rien trouvé, depuis, — à lui répondre.

RENONCEMENT D'ALIX

— Vous l'avez vue récemment, cette pauvre Alix ?

— Hier, ma chère. C'est effrayant. Elle paraît cent ans.

— Cent ans, ce ne serait pas grave. Mais le pis est qu'elle paraît son âge véritable. Qu'est-ce que c'est que ce... ce découragement, ce renoncement à tout apprêt ? C'est la conséquence d'un vœu ? Elle n'a personne à pleurer, pourtant ?

— Si, sa troisième jeunesse...

Et de rire... Car les situations les plus graves ne sauraient détourner les femmes de grignoter leur prochain, surtout leur prochaine. C'est un passe-temps monotone que la médisance. Lorsque pour dénigrer une autre femme deux femmes se mettent d'accord, elles citent d'abord le millésime de son âge, puis mettent en question sa santé, sa fidélité conjugale, sa situation de fortune ou d'infortune...

Il se trouve que je connaissais, non seulement

ces deux-là, mais, mieux encore, leur victime, et que c'est aux médisantes, pour une fois, que je donnai raison. Pour résistante que soit, à tout choc, la précieuse et étrangère matière féminine, les raisons de chanceler et de périr ne lui ont pas manqué, depuis un bout de temps. Une femme ne se défait pas que par misère matérielle. Telle, qui perdure en dépit d'une demi-indigence, d'un dur travail, se désagrège sous le poids d'une idée fixe. Même il lui suffira, pour consommer sa propre ruine, qu'une sorte de faux point d'honneur déplace, en son esprit, un ordre courageusement établi. C'est le cas de la personne dont s'occupaient, sur le ton d'une compassion modérée, ses deux amies.

Cas qui semblait curable, puisque la « pauvre Alix » n'est ni tombée dans le feu ni ravagée par un lupus, ni atteinte dans ses moyens matériels de vivre. La crise qu'elle traverse n'est que de découragement, d'aquoibonisme — Rabelais emploie le beau mot, qui fait image, de « déflocquement ». Pareille défaillance guette moins les femmes qui ont souffert que celles qui n'ont pas assez souffert. Le demi-siècle secrètement gravi, une femme, cent femmes, les femmes, regardent devant elles l'autre versant, le plus vertigineux, et organisent leur défense. La plupart s'en détournent, cachent la tête sous l'aile. Il n'est guère de femme menacée par son âge qui ne sache, après une période tâtonnante, essayer d'abord, fixer ensuite sur son visage un apprêt typique, un style qui défient l'œuvre du temps pendant dix, quinze années.

Merveilleux répits ! Je me garde de parler légèrement de ces regains, ces triomphes crépusculaires que Balzac niait. « Bien qu'elle eût déjà trente-deux ans, écrit-il, elle pouvait donner l'illusion de la jeunesse. » Quoi ! à trente ans, à l'âge d'un vieux cheval, à l'âge d'un arbre en sa plus belle ramure, d'un jeune éléphant, d'un crocodile adolescent, une femme devait replier ses rêves les plus brûlants et se retirer de la danse, sous peine de se voir traitée de vieille bacchante ?

Mon indulgence — et pas seulement la mienne, — mon approbation vont à celles qui portent les couleurs de leur survivance, les signes de leur activité dans une arène. Trop de courage a brillé parmi la gent féminine, depuis de longs mois, pour que, sous prétexte de loyauté, les femmes dénoncent le contrat qu'elles passèrent avec la beauté. Il y a sur vous toutes, Alix-nouvelle manière, un air de gêne et d'excuse qui n'est pas le vôtre. « Mais c'est mon vrai visage ! » Non. Votre vrai visage, il est dans le tiroir de votre coiffeuse, et fâcheusement vous y avez remisé aussi votre belle humeur. Votre vrai visage est d'un rose mat et chaud — tirant un peu sur le chamois, rehaussé sur le haut des joues d'une lueur de carmin assez sombre, bien distribuée et comme translucide — qui s'arrête au-dessous de la paupière inférieure, où il se fond dans un gris bleuâtre, à peine sensible, propagé jusqu'au sourcil. Ce grand sourcil prolongé par vos soins, est brun comme vos cils jaillissants, entre lesquels vos yeux gris semblent bleus. Je n'oublie pas la bouche, son dessin — également corrigé, — d'arc hardi, son fard écarlate qui blanchit la denture... A l'œuvre, pauvre Alix ! Une expression de confiance en vous-même, l'arrière-sourire qu'on vous connaissait vont fleurir spontanément sur le tout. Il n'y aura qu'à vous voir pour être sûre que la fausse Alix c'était cette femme fade, réticente, découragée, un peu blettie... La vraie, c'est celle qui toujours eut le goût de se parer, de se défendre, de plaire, de savourer l'amertume, le risque et la douceur de vivre — la vraie, voyons, c'est la jeune.

PAYSAGES

DANS LA DUNE

Pour M...

QUEL vent depuis trois jours ! Notre maison, assise au milieu des sables, notre maison de bois craque comme un bateau et va sûrement chavirer. Depuis trois jours, il n'y a pas une barque sur la mer, pas un pêcheur au bord de ce désert de sable, pas un ramasseur de coquilles ou de vers... Il n'y a plus que nous, dans notre maison gémissante et secouée. Il n'y a plus que nous, entre un ciel couleur de fumée et une mer plâtreuse, qui s'en vient dans un galop coléreux et s'en va d'une glissade sournoise, en laissant des mouettes noyées, des soles mortes d'un blanc corrompu, et des crabes verts, inertes...

Elle obéit au vent qui, depuis trois jours, la soulève et la creuse, la fouette et la brasse, comme une pâte empoisonnée...

Autour de notre maison, le vent tourne et aboie, cherche en vain une issue où glisser l'une de ses lanières cinglantes... Il vient d'empoigner un volet et l'a collé contre le mur, comme la dernière page d'un livre qu'on ferme... Il embouche le tuyau de la pompe et corne dedans, comme un triton dans un coquillage tors... Il pianote, de tuile en tuile, sur toute la toiture... Prends garde ! la frange de sable, qu'il a poussée sur le seuil, bouge ! Peut-être qu'il va passer sous la porte sa main aux doigts insinuants et nous saisir aux jupes... Il mène, autour de la maison, un vacarme si humain que j'ai peur de le voir passer devant la fenêtre, transparent et tangible, immense, barbu de fumée, coiffé d'une chevelure de nuages, drapé tout entier d'un orage gris... Tu ne le vois pas ? Il a une bouche gonflée qui rend un son de trompe caverneuse, et il avance, porté sur deux colonnes d'air tourbillonnantes... J'ai peur de le voir. Je ne me sens pas en sûreté derrière toutes ces fenêtres qui geignent sous l'effort du vent... Viens, viens, dans mon refuge de la dune !...

Courons !... Epouvantées et fidèles, les chiennes nous suivent. Du fond de l'horizon, mille serpents de sable rampent, accourent vers nous en ruisseaux parallèles ; toute la plage semble s'émouvoir, bouillir, et nous jette au visage, en poignées d'épingles, une poudre de silex qui entame la peau... Le vent, debout contre nous, nous barre le passage ; il pousse son genou entre les miens, se pend à ma robe et m'entraîne... Lutte comme moi ! ne cède pas ! pousse du front en avant, bombe le dos et courons !

Ma chienne bull a plié ses oreilles, et les trois sillons de son museau sont déjà comblés de sable ; son petit nez de dauphin s'emplit et suffoque, mais elle court, basse, bosselée de muscles, fortifiée d'un orgueil rageur... La bergère flamande, touffue de poils, est le jouet du vent : méconnaissable, rebroussée, aveugle, elle vole de-ci et de-là, comme un flocon sans pesanteur... Mais la toute petite shipperke rit d'aise sous ton manteau d'où pointent son museau de marcassin, ses yeux de rat et ses oreilles de chauve-souris... Pauvre petite shipperke de huit cents grammes, tu l'as ramassée à temps ! elle eût fondu sur la langue du vent, comme une pastille noire... Encore un peu de courage ! Nos pieds foulent déjà le gazon ras de la dune, ce velours sec qui ne connaît guère la rosée. Encore un effort ! Nous y voici. Laisse-toi rouler à terre avec moi, avec nos bêtes, et connais mon refuge de la dune.

Ce n'est rien qu'un berceau de sable fin, mais si profond, si doux, si mollement creusé pour le flanc, si propice au sommeil, au songe éveillé, à la sereine tristesse solitaire !...

Aujourd'hui, je t'y fais place à côté de moi. Son aridité se fleurit, pour peu de jours, du liseron rose de la dune, qui meurt d'être effleuré. Sa corolle en petit chapeau tonkinois regarde le ciel, et son parfum d'amande amère s'envole, gaspillé par le vent.

Couche-toi sur le dos, et regarde au-dessus de nous : il n'y a plus que le ciel confus, balayé de nuées déchirées, et les bords de ma cuve ronde, où luit, gardien tout armé, un beau chardon métallique. Sa feuille de fer tordu, qui s'oxyde au vent de la mer, châtie le papillon ; sa fleur hérissée, d'un bleu d'iris, se défend de l'abeille. Ce chardon bleu, pudique et méchant, ce liseron que l'ouragan déchire, je te les offre, mon amie...

Retiens nos chiennes ; que la bergère flamande s'étende à tes pieds, toute plate dans sa peau, comme un tapis de fourrure, et que la petite bull modère son reniflement de phoque joueur. Garde aussi dans ton manteau la shipperke au museau pointu, et nous verrons dans un instant se pencher sur nous, curieux, impressionnables, avec leurs nez de velours palpitants et leurs oreilles comme des feuilles de sauge, tous les petits lapins de la dune...

Ils sont blonds et gris comme le sable, et pas plus gros que de jeunes chats ; ils sont sociables et peureux, imprudents, incorrigibles... Ils habitent ici, sous la dune forée de mille trous, dans des terriers friables où tu pourrais entendre, si le vent se taisait, le sable ruisseler avec un chuchotement d'onde souterraine... Les petits lapins blonds vivent là et sortent pour brouter le maigre gazon, amer, aromatique, et salé. Hier, j'ai surpris un petit lapin aux yeux gris-bleu, qui errait avec un air de touriste dépaysé. A ma vue, il s'est assis d'étonnement, trop ému pour fuir, et il a commencé à marmonner quelque chose, très vite, du bout de ses babines veloutées, si bas que je n'ai presque rien entendu... Il suppliait. Il parlait d'un terrier tout proche, de cinq lapereaux fourrés de duvet qu'eût écrasés mon pied de géante, et sa poitrine dansait aux battements cruels de son cœur... Tu ne me crois pas ? Il m'a parlé, pourtant, le petit lapin de la dune...

Taisons-nous, maintenant. Taisons-nous, rassurées, car le vent dépisté poursuit sa course sans nous atteindre, lancé par-dessus nous comme une bête sans flair...

PRINTEMPS

Des dragées de grêle, des rais de pluie, des passereaux et des flocons de neige, un journal déployé qui vole et tombe mort dès que la pluie le transperce : voilà ce que mars emporte sur la rafale printanière qui passe devant ma fenêtre. L'an passé, il mêlait à ses giboulées des pétales de prunus, une primevère enlevée à un jardin lointain, des forsythies qui fleurissent avant de verdir. Mars n'a pas trouvé de fleurs à ravir, cette année. Tout dort. A peine si les sureaux, au Bois, s'étirent et font craquer leur moelle.

Mais sur la foi des giboulées, nous respirons, à demi délivrés. Les traîtrises d'avril, la lune rousse et son tranchant de glace qui fauche, la nuit, les premières jonquilles, changent les fleurs fruitières en chenilles brûlées, nous n'y pensons pas, nous n'y voulons pas penser. Nous savons que les gazons du Palais-Royal émergent, miraculeusement verts, d'une vieille neige sale, que l'arc-en-ciel a paru à travers un rideau de pluie tiède, et que la première foudre de l'année a tonné du haut d'un énorme nuage en lainage gris fer, ourlé de feu comme un orage de juillet. Qu'est-ce que nous voulons, en somme ? Etre agréablement trompés. L'oiseau aussi. Passereaux et mésanges travaillent, avant l'heure. On se bat, ici près, pour d'anciens nids, que dis-je ? des nids quasi historiques, forés dans les loupes des ormeaux sous un autre siècle. On vole un brin de raphia chez une fleuriste, un fil de rayonne chez la dame qui fait des blouses, un autre à la cage des perruches. On entasse, on thésaurise, on piaille... Puis la giboulée arrive et on laisse l'ouvrage en plan, pour se poser en brochette sous un bandeau sculpté, où l'on crie tristement ! « C'est l'hiver ! »

La sagesse même, le génie, la merveille des merveilles — c'est l'abeille que je veux dire — n'en sait donc pas davantage ? Il faut croire que non. Elle est entrée chez moi, aujourd'hui, cette première abeille, parce que j'ai trois pots de primevère de Chine en pleine fleur, et deux cyclamens. Ceux-ci ne lui sont d'aucune utilité. Elle vient de loin si j'en crois ses pattes postérieures, fourrées d'un pollen jaune. Ainsi chaussée de culottes de zouave, elle me raconte qu'elle a rencontré les « minous » du saule, qu'elle a butiné sur leurs étamines dont l'odeur est la fragrance du miel même. Je suppose qu'elle a soif. J'agence pour elle une cuiller à manche cassé, que j'encastre, pleine d'eau, dans la terre des primevères. Mais elle semble très affairée, et soucieuse. J'écris ce dernier mot sans rire. L'observation d'abord, l'écran ensuite m'ont appris que l'abeille — au moins autant que la mante religieuse, joviale créature qui fait casse-croûte d'une cuisse de son mari, l'air allègre, en regardant le paysage — est, ou paraît expressive. Le grossissement animé des premiers plans cinématographiques hausse la minuscule abeille ouvrière à la taille d'un chien de chasse, moyennant quoi nous voyons qu'elle est vernissée, nette dans sa belle forme à taille étranglée, qu'une plantation de gros poils le long de ses plus puissantes pattes, lui sert à charger, à retenir le pollen. Et les parures de la tête, les antennes à action rapide, les mandibules, les yeux, les vastes yeux formés de milliers d'yeux pour recueillir mille fois les mille images de l'univers ! J'avoue qu'un peu froide devant les films romanesques, j'ai bien du mal à retenir, devant les « documentaires », mes oh ! et mes ah ! Lorsqu'un film consacré aux abeilles parut aux Champs-Elysées, j'ai failli prendre à témoin des spectateurs inconnus, mes voisins, que je trouvais trop calmes : « Regardez ! Regardez l'abeille et l'étamine ! Regardez l'invasion de la ruche par les fourmis ! Voyez cette grande reine au long ventre, son isolement de créature unique parmi la foule des ouvrières, sa tâche fatale et glorieuse... » Car je trouvais que mes voisins ne regardaient ni assez juste, ni assez passionnément. Pourtant, où puiser actuellement, ce qui contente notre soif du prodigieux, de l'irréel opposé à la réalité, sinon dans les féeries enregistrées, les photographies miroirs du monde, les secrets de l'invisible, les lumières des réfractions, les animalcules, la fièvre des « accélérés », la noblesse léthargique des « ralentis » ?

Peu de films, dits documentaires, pourront s'égaler, par exemple, au massacre des bourdons, à la mêlée des abeilles qui tuent, reçoivent la mort, usent humainement des pattes antérieures pour étreindre, expulser. Une autre magnifique partie de la bande représente la ponte, l'austère travail de mère et d'ensevelisseuse que poursuit, au-dessus de chaque alvéole, la reine condamnée à pondre : un œuf, momie blanche hermétiquement voilée, — encore un œuf ; — encore, encore un œuf... La tâche aboutit au triomphe de l'éclosion. Une larve brise ses derniers liens. Les yeux lumineux apparaissent. Des pattes tremblantes se cramponnent au bord de l'alvéole pour hisser une faible abeille neuve, exténuée de naître, jusqu'à la vie... Tant est qu'il faut à un être autant de peine pour commencer que pour finir.

Ma vivante abeille de mars est partie, au moment où la giboulée reprend, fouette l'air, blanchit le gazon d'une neige momentanée. Elle sacrifie à une communauté sacrée son utile petite vie, exposée trop tôt. Le printemps, en marche triomphalement, à travers froid et soleil, à travers éclairs et tonnerre, l'a écrasée sans la voir.

FRANCE, LE PLUS BEAU PAYS DU MONDE

Je ne me souviens pas d'avoir, en France, concerté la rencontre d'un site, d'un monument ou d'un point de vue. Celui-ci est venu à moi, celui-là m'est tombé dans les bras, l'autre s'est ouvert à point devant mes yeux, comme s'ouvrent les vallées que nous survolons en songe... Pourtant, un malicieux hasard s'interposa pour m'empêcher de visiter les tours de Merle et le gouffre de Padirac. Après chaque échec, je me remettais en route : « C'est décidé, aujourd'hui Merle, et demain Padirac ! » Mais en chemin, la voiture perdait une roue, ou le cheval un fer, ou bien une auberge nous faisait signe. Ou bien nous croisions des amis qui nous détournaient : « Vous avez bien le temps ! Merle et Padirac ne se faneront pas à vous attendre ! »

A la fin, j'ai laissé Padirac et Merle, que le hasard m'a pris, qu'il me rendra...

Une Anglaise de mes amies me remontre souvent que nous méconnaissons la France. Elle a pris chez nous sa retraite de globe-trotter, et n'en bouge depuis trente ans, par admiration et amour. Elle doit avoir raison. Mais que vaut sa remontrance pour nous autres Français, qui explorons peu et goûtons bien ? Nous sommes les enfants comblés d'un pays qui vaut tous les autres. Si la jeunesse française se prend à voyager en France, elle risque de perdre un sédentarisme qui la faisait paresseuse mais clairvoyante, timorée mais sensible, entichée de son clocher, de son lavoir sur la rivière, de son mail étouffé de tilleuls, des horizons accessibles au promeneur à pied. Je date d'un temps où les Français, ignorant à peu près leur France, possédaient en revanche une connaissance complète, minutieuse et lyrique de leur commune natale. Je suis l'un de ces casaniers qui ne font pas dix lieues hors de leur trou sans se récrier d'admiration. Que sais-je de la France ? Un peu de Bourgogne, des coins de Paris, deux ou trois cantons de Jura et de Franche-Comté, des lieues de côtes blondes, tant picardes que bretonnes, le vert des prés de Brives, la rougeoyante bruyère du Plateau de Millevaches, et, pour finir, la Provence, une petite Provence en raccourci, si douce qu'elle m'ôte l'envie d'aller plus loin...

Ai-je seulement connu l'envie d'aller « plus loin » ? Bien au contraire, j'en crus mourir, au commencement. Quitter mes étangs, leur profonde odeur de jonc et de vernes, leurs brumes délimitées, les sources secrètes qui les abreuvent, j'en dépéris pendant plus d'une année, quand j'avais seize ans. Mais le Jura se chargea de me guérir, me dispensa l'ardeur de ses jours, le froid de ses nuits, le feu qui jaillit, sous le talon clouté, de son ossature siliceuse. Et le cyclamen sauvage m'enseigna un parfum inconnu.

Toutes mes découvertes du visage de la France ne furent pas aussi péremptoires, aussi passionnées. Au bord des sables du Crotoy, je boudai comme une fille qu'on marie de mauvais gré. Je cherchais la mer, réfugiée à vingt kilomètres sur les plages plates, derrière une évaporation qui dépolissait le soleil... Quatre étés de suite, je revins de moi-même à la mer grise, aux marées galopantes, au flux riche, phosphorescent, qui entraînait crevettes et poissons plats, crabes et équilles. Quand l'heure de la marée coïncidait avec celle du soleil couchant, les barques au loin glissaient sur un fil de feu rouge...

Je ne pleurais plus de quitter mes amours nouvelles, je prenais confiance. La Bretagne me baigna de son lait bleu, un bleu atmosphérique que l'aube suspend aux branches des pommiers, aux mâts des bateaux, aux roches cornues. Combien de fois j'ai choisi entre la veille et le sommeil pour écouter le passage des courlis, qui crient pendant leur vol nocturne...

Il m'arrive de désirer vivement qu'un itinéraire bien agencé me dépose sur l'autre face de la terre, puis me ramène. Le tour du Monde est un voyage court et précis. Mais, pour connaître la France, je ne me fie qu'au hasard. C'est le hasard qui secouait sur nous, le 15 juillet, tout le long de la vallée du Rhône, les abricots et les pêches. Un village où nous bûmes n'était que pignons anciens, toits en gradins et enfants, un autre que fleurs et fontaines. Je n'ai pas retenu leurs noms, à quoi bon ? Nous en retrouverons ailleurs de plus beaux. Nous sommes ces Français, un peu nonchalants, un peu douillets, mais capables de rester assis devant ce qui nous plaît. Nous portons à la France un amour agréablement assoupi au fond de nous-mêmes, tout gorgé, à chaque pas, d'une provende délicate. Nous sommes, en route, tantôt grincheux, tantôt inexplicablement optimistes. Sans en avoir l'air, nous savons mieux que personne qu'au tournant de la route, au coin de la rue, en haut de la pente, derrière les panneaux de publicité et les « hostelleries », la France tient en réserve ce que prodigieusement elle a de mûr, d'éprouvé, de touchant, d'invariable et de fastueux...

La mer immense, qui joue à l'aise sur quelques centimètres carrés, un ciel sans limites... Un vieil arbre, la prairie au printemps, une église basse. Blotti dans un pli, un hameau breton en chaume beige, fauve et râpeux comme une nichée de hérissons ; la forêt et ses biches, la neige, une Provence d'été calcinée de feux blancs, les canaux plats, la vague irritée, l'ancien Montmartre et ses jardins détruits...

On ne contemple pas, sans une sorte de fatigue bienheureuse, l'exposition des « Paysages français ». Elle ne sera comparée à aucune autre. Prisonniers comme moi de Paris, allez vous abîmer dans la contemplation de telle ramure de Cézanne, d'un majestueux et glacial Daubigny ; délectez-vous des quatre petits Seurats, tout eau fraîche et soleil, si vous ne préférez Monticelli caramélisé, ou ce panneau couvert d'étroits Corots grands comme le monde...

La piété lucide et libre, qui rassemble Rouart et Lépine, Segonzac et Georges Michel qui peignit l'église villageoise de Passy humblement debout au milieu de sa jungle, écarte d'ici la nature morte et le tyrannique bouquet, et le malveillant regard des portraits. L'air des plages nous vient d'un Boudin pommelé, d'une encoche taillée dans la falaise par Gauguin. L'odeur de mon pays natal, je crois la retrouver dans une image de l'Avallonnais, avec le souvenir d'un vieux monsieur au nez rouge, que je rencontrais dans le train local. Il allait acheter des gâteaux à Saint-Fargeau et s'appelait Harpignies...

Que c'est beau, ces paysages purs de présence humaine ! Un autre grand contentement récompense mon ignorance de la peinture : je ne saurai jamais, ni n'aurai besoin de savoir « comment c'est fait », par exemple, cette impalpable, cette parfaite et mystérieuse ressemblance de l'air respirable, qui baigne et divise les rameaux de l'arbre vert de Cézanne. Ni pourquoi je goûte, à l'extrême, la toile où tout est épineux, hostile, brûlé de poussière, « Les chardons » de Van Gogh. Ni pourquoi, froide devant les figures de Matisse, je suis conquise par ces « Arbres », clairsemés sur ciel d'argent.

Le foin fleuri de Monet, le Bonnard congestionné de végétation et de couleurs, un Derain d'une précision enchanteresse, la vigoureuse flexion qu'imprime Segonzac à des troncs puissants, un petit Leprin meilleur qu'un grand Utrillo, tout ici me semble intelligible, salubre, surprenant et familier.

C'est que tout ce qui illustre ces murs est français, célèbre les paysages de France. Morts et vivants, les peintres groupés à la Galerie Charpentier, eurent la main patiente et amoureuse, le voyage lent, encore la plupart ne quittaient-ils guère leur péniche, leur pré, leur terrasse. Pour un qui s'évade et peint Tahiti, les autres sont immobiles et fidèles.

Un poète de mes amis s'écriait : « Transportez-moi endormi, déposez-moi parmi ces toiles ; je m'éveille et je crie : « C'est la France ! »

Dans le lyrisme gît une part de la vérité. Quand il s'agit de la France nous devenons tous et diversement poètes. Mais le peintre de paysages, privilégié, a la joie et l'honneur de nous transmettre, avec l'aspect éternel de la nature, la précieuse image de ce qui ne dure qu'un moment, de par la grâce du rayon, du reflet ou du nuage. Il ne poursuit pas le « sujet », il l'attend. Ne bougeât-il que de son seuil à son champ, il ressemble au vrai voyageur, celui qui se promène et s'arrête souvent. En France, le peintre n'a guère besoin de provoquer l'éloquence d'un site ou d'un point de vue. Nos paysagistes sont férus de clochers rêveurs, de lavoirs sur la rivière, d'une beauté équilibrée qui semble un perpétuel appel à leur art. Respirons à longs traits, dans cette exposition, l'atmosphère qu'un culte éclairé a créée. Elle est saine, et ravive en nous l'orgueil des dons inestimables que la paix et la prospérité nous faisaient oublier. La félicité nous apprend, sur l'amour, peu de chose, nous ne sommes sûrs de lui et de sa force que dans la douleur. Contemplons les parcelles heureuses d'un pays à demi déchiré ; voici les moissons, les flots, les pommiers fleuris. Voici les traits ravissants de la terre française, chaude d'avoir, dans chacun de ses plis, bercé, nourri et enseveli un être humain.

FLORE ET FAUNE DE PARIS ET D'AILLEURS

— Vous marchez à pied tous les matins ?

— Tous les matins.

— Et quand il fait mauvais temps ?

— Alors je marche par mauvais temps.

— Et toujours au Bois ?

— Toujours au Bois.

Ici, mon interlocuteur me jette un regard perplexe, et généralement ajoute :

— Et ça ne vous ennuie pas ? Moi, je trouverais ça mortel.

En quoi il n'a pas tort. Le Bois n'est pas très

grand. Tous les ans, l'avidité urbaine invente une manière de le ronger par les bords, de l'évider par l'intérieur. Bastions du boulevard Maréchal Maunoury, déplorables cubes du boulevard Suchet, grands remparts surplombant Bagatelle, nuit de fêtes et jours de courses, c'est toujours lui, le Bois, qui paie, abandonne un peu de sa superficie ou de son intimité. Et j'accorde que huit jours ou un mois de promenades pédestres au Bois, ça ne doit pas être drôle.

Mais j'ai quelque chose comme trente ans de Bois, et cela change tout. En trente années, le Bois m'est devenu familier et chaque jour nouveau, autant que le sont un logis aimé, la marche du soleil sur la muraille, l'humeur de la mer. La saute de vent qui le rebrousse modifie en un moment la couleur de ses verdures, mon itinéraire, le ciel, l'odeur de l'humus piétiné et de l'herbe. La saison de l'acacia ne fleure pas comme la saison du tilleul ; je ne saurais confondre le parfum du catalpa et celui du troène fade. Les troncs satinés des grands merisiers, dont je ramasse les petits fruits sapides, ne se dressent pas dans la même région que les noyers exotiques, qui me donnent en automne des noix très dures, à chair compacte bien défendue par un brou amer, qui tache les mains. Pour les champignons, je laisse un spécialiste les récolter. Il fouille de la baguette les bas taillis comme s'il chassait la vipère. C'est lui aussi qui déterre le petit ail sauvage, et s'en fait une soupe dont il me dit grand bien. Je ne sais pas son nom, mais je connais sa figure. Il parle rêveusement des plantes, du temps probable, et de « ce qui est bon avec du pain... » Entre vieux sylvains, on ne s'en demande pas davantage.

Que voulez-vous encore savoir de la flore ? Chaque printemps voit périr, en fleurs, sous des mains pillardes, les cerisiers sauvages, les sureaux et les épines blanches. Je me garderai bien de vous dire où l'on trouve, libres de palissades et de grilles, quelques lilas grêles, très odorants, et les corolles rosées des cognassiers... Du côté d'Auteuil, il reste des jacinthes sauvages, aussi bleues que celles qu'avril multiplie dans les bois de Rambouillet et des Fausses-Reposes, mais chétives, et d'ailleurs le Parisien cueille toute fleur en bouton.

Pour la faune, elle est plus riche que vous ne le croyez. Saisonniers, les rappels de sansonnets couvrent d'oiseaux par centaines les arbres qui bordent le champ de courses d'Auteuil, et rien n'est plus doux que leur langage unanime, qui imite le crissement de la soie, la pluie fine, le vent sous l'huis... Il y a quelques semaines, pendant une éclaircie de faux printemps, deux cents verdiers se levèrent sous mes pieds, verts au soleil comme le jade, comme le saule et l'euphorbe... L'été, on voit le hérisson imprudent, un peu d'orvet et de couleuvre, de très jolis rats qui ont le dos beige doré, et les mouettes qui remontent de la mer par la Seine. Sous mes yeux, un garde ramassa un lapereau encore tiède, vidé de son sang et quasi décapité par une fouine... Nous avons aussi, en bon nombre, les chiens perdus, que sèment derrière leur cheval les cavaliers distraits, qu'oublient les dames véloces, préoccupées d'hygiène.

Matins de pluie plus bleus que le beau temps, matins roses comme le cuivre neuf, dépolis par la gelée blanche, matins de mai où tout est émotion, étirement végétal, fébrile travail de becs et d'ailes, balancements des chenilles filandières au bout de leur brin de soie invisible — je n'aime au Bois que la meilleure partie du jour, je ne reproche au Bois que d'être désert capricieusement, c'est-à-dire trop ou pas assez.

Ses lés forestiers, chênaies mêlées de pins et d'acacias, ses sentes frayées à la largeur du pied, quels sites pour la récréation, si l'on n'y découvrait debout, à cent mètres, l'homme qu'on n'avait pas vu d'abord, l'homme qui n'est ni un mendiant, ni un chercheur de champignons, ni un poète, ni un malfaiteur. Il ne se promène pas, il ne va nulle part. Mais il semble attendre toutes les femmes seules. Dès qu'une passante l'aperçoit, il se met en marche dans la même direction qu'elle, et s'arrête si elle fait halte. Une bonne allure le décourage, il se laisse distancer. A combien d'exemplaires est tiré cet hôte indécis du Bois ? Il n'appartient pas à une monomanie qu'on appelle inoffensive, — comme s'il y avait des monomanes inoffensifs. Flottant et muet, l'homme irrésolu, qui hante les futaies, ne barre le passage à personne. Mais, à sa vue, la jeune fille qui coupait au plus court, sa raquette sous le bras, regagne la route asphaltée, et la dame aux cinq pékinois, la dame aux sept fox-terriers, la dame aux quatre chow-chows appellent leur troupeau comme s'il y avait le feu. De quoi se plaindraient les promeneuses, que l'homme expectant n'offense point ? L'inquiétude qu'il inspire se définit malaisément. Les femmes ont peur de lui, et n'osent pas dire qu'elles ont peur. A tout prendre, elles aimeraient encore mieux la rencontre du classique « satyre » que traquent les gardes, celui qui soulève l'indignation des dernières mères vigilantes...

Sur le trottoir du lac inférieur, une mère-chaperon, l'an passé, en appelait, essoufflée et volubile, à un garde vert-bouteille :

— Enfin, Monsieur le garde, si en plein jour le Bois de Boulogne n'est plus un lieu de promenade familiale, si une jeune fille, même au côté de sa mère, risque d'y rencontrer la pire sorte de... de... d'individus...

Le vert gardien, qui n'eût d'ailleurs pu placer un mot, se taisait. Mais, placide et sage, une longue jeune fille tirait sa mère par la manche :

— Laisse donc ça, maman, tu nous mets en

retard. Allons, maman, viens. Tu sais bien que je suis myope, maman.

DÉCEMBRE AUX CHAMPS

Une rose, des pâquerettes blanches à pointes pourpres, des violettes... C'est un bouquet de mai, que je cueille en décembre. La jacée des prés n'a pas renoncé à fleurir, et l'orme encore vert se balance... Le printemps précoce de Nice n'a pas plus de douceur que cet hiver limousin.

— Quel beau temps !

Mais le jardinier me montre du doigt, sans mot dire, trois claires étoiles suspendues au-dessus du vallon où tout à l'heure se couchera le soleil. Il a déjà prédit, ce matin, que la gelée blanche nappera demain les prés bas, le long de la rivière ; son geste évoque les oracles qu'il dédaigne de répéter.

Mais la gelée blanche, ce n'est pas l'hiver. Et la neige, si elle descend, cela ne s'appelle pas non plus le *mauvais temps*. Le *mauvais temps*, c'est un cataclysme exclusivement urbain, et la cité seule connaît ce phénomène massif, indiscutable, qu'on y nomme l'hiver. Ici, parmi ces créatures vivantes, les plantes et les bêtes, il y a — brefs, variés, renouvelés par un rayon ou une rafale — novembre tiède, décembre capricieux, noir de pluie, blanc de neige, janvier clair et piquant — il y a hier embrumé, demain mystérieux et qu'on attend, dont on parle en levant dans la bise un doigt mouillé...

Précieuses, courtes heures des jours d'hiver, à la campagne ! La belle saison appartient à tous, depuis son muguet le plus caché jusqu'au premier raisin mûr, avec son débraillé savoureux, ses fêtes sans secrets. Elle mêle à son nom des souvenirs qui la banalisent, les mots « villégiature » et « vacances »... Au premier feu d'automne dont la bourrasque rabat, dans la cheminée, l'odeur de pin humide et les longues étincelles, ressuscite en nous l'enfant grave qui rêva, devant la flamme, au-dessus d'un livre qu'il ne lisait pas, l'enfant chaste d'avant l'amour. Les plus profonds, les plus tendres souvenirs, ceux qu'effare ou pâlit la grande lumière des étés heureux, jouent discrètement entre le feu et la lampe, et ce n'est peut-être pas le printemps, ni sa première nuit, troublée de lune trop claire et de rossignols, qui nous arrache le mieux cette troublante parole : « Il me semble que je rajeunis... »

Rajeunir — ignorer tout ce que l'on apprit, s'étonner, posséder pour la première fois — le prodige nous attend, loin de ces murs. Nous le joindrons, en trempant la main et les lèvres dans le ruisseau gorgé, à goût de feuilles, ou bien en conquérant, en même temps que le soleil, une campagne nue, belle de ses seules lignes sévères, et d'où l'homme inutile s'est retiré jusqu'au réveil de la sève. Pour nous, pour nous seul a refleuri la ronce rose, pour nous a grainé le houx, et la violette glacée finira bien, en mourant sur un sein chaleureux, par livrer son âme inimitable... L'ajonc fleurit trois fois, et trompe quelques abeilles, la renouée ne veut pas périr. Que de grâces s'obstinent, sur cette terre que l'on dit dépouillée ! Plus tard elle aura encore la baie, la feuille rousse, le sapin bleu, la mousse en fougère, en frange, en cornets, le bourgeon précoce ; elle aura la neige, le givre en fleurs scintillantes, elle aura tout ce qui peut enchanter et retenir, tout ce que dédaigne et quitte l'inconstance et l'ignorance de l'homme, qui abandonne la terre, comme une maîtresse chérie pour ses seules parures, au moment où il craint de la voir s'appauvrir...

L'HIVER A ROME

Noël 1917.

La tiédeur d'une serre où l'eau pulvérisée viendrait de mouiller les feuillages, un soleil d'argent vif, l'odeur, à chaque pas, des œillets et des mimosas, des oranges écorchées, du céleri en bouquets, des pommes, des violettes, — quel mois de mai contient autant de parfums, autant de printemps que ce matin de Noël à Rome ?

Hier, le train fendait prudemment, vers Modane, des édredons de neige. Le jour d'avant, Paris, privé de lumière, grelottait sous la pluie. Aujourd'hui, les jardins du Capitole, criblés d'oiseaux, brillent d'une verdure que l'hiver ne ternit point.

Ce jour, cette semaine entière appartiennent aux enfants. Un tapis, une nappe mouvante couvre le roide escalier qui monte à l'église Santa-Maria in Aracoeli. Cent degrés d'enfants, d'enfants italiens bruns comme la fourmi, sonores comme la cigale ; — un millier d'enfants accrochés à cette colline de pierre comme leurs pères aux flancs du Carso, piaillent, discourent, vendent et achètent. Ces âpres petits marchands du temple font commerce de bonbons, jouets, statuettes, images saintes, spécialement le portrait du Bambino d'Aracoeli, gangué d'or et de gemmes taillées.

Il faut beaucoup de persévérance pour atteindre l'église, à travers les cris, les offres insinuantes, les imprudentes prières et les imprécations zézayées. Aucun respect n'atténue d'ailleurs, sous un plafond dont l'or prodigué vieillit trop lentement, l'arrogance de la marmaille romaine. Elle s'exclame et bataille, devant la crèche monumentale qui mêle aux trois Rois Mages une contadine porteuse de présents : fromages blancs, oranges et figues, le tribut de l'Italie, roulent aux pieds du Bambino ligoté d'or. Pour voir le Bambino, et l'ange de cartonnage, et l'âne gris, les bambins se poussent, se font la courte échelle le long d'une des lisses colonnes païennes, et des enfants en grappe enguirlandent, comme un motif ornemental, les bords d'un bénitier.

A droite de l'entrée, une estrade tremble sous le poids des enfants-prêcheurs. Prédicateurs de quatre à huit ans, prophétesses évadées à peine du lange et de l'école maternelle, tous les enfants peuvent prêcher pendant la semaine de Noël. Une inspirée — sept ans, le nez droit, des cheveux en serpents de Méduse et le sourcil tragique — dispute le champ de l'éloquence à un tribun de quatre ans, plein de lenteur et de sagesse, mais que la foule intimide. Victorieuse, la fillette salue l'assistance et parle ; que dis-je, elle déclame, atteste le ciel, évoque *i soldati,* appelle le Gesù Bambino... Je ne vois pas de différence entre cette enfant pathétique, qui frappe du pied l'estrade et tend le poing au plafond doré, et la jeune première de cinéma italien qu'elle sera dans dix ans : même excès d'expression, même instinct du geste généreux, même absence de mesure, de nuance et de personnalité.

Derrière l'estrade, un groupe querelle à voix basse, une poignée de femmes aux beaux cheveux mi-voilés d'un mouchoir plié, mères alourdies, adolescentes superbes, un peu massives. Chacune vante et pousse en avant, sur l'estrade, son enfant prodige, souffle le couplet oublié. Il y a des regards d'envie, des menaces sourdes, des rires de moquerie ; en vérité, et malgré les fresques voisines de Pinturicchio, ce coin jaloux fleure moins l'église que les coulisses.

Trente et un décembre.

Onze heures et demie. Le dîner, le dernier dîner de l'année, fut si chaud, entre Français, si animé d'espoir, si amical, que nous y avions oublié Rome. La nuit, d'un azur clair, presque gris, frémissant d'étoiles, nous rend à l'Italie. Nous tardons à rentrer, retenus par cette nuit douce, pâle de lune, blanche d'électricité. Onze heures et demie... L'année va finir tout à l'heure. Quelques lumières au palais de la reine-mère ; cinquante pas au-dessous, le potager des moines, qui prolonge les jardins royaux, nous jette sa rustique odeur de choux verts et de fenouil. Sur le trottoir de la via Venato, une fleuriste en plein vent noue, pour un tout jeune soldat songeur, sa dernière douzaine d'œillets rouges. Les mendiants, qui grattaient leurs mandolines sous les fenêtres, sont partis. Le sapin de Noël, dans le hall de l'hôtel, porte encore, à la place de ses cires éteintes, des brins de canetille, une étoile de papier doré, une pomme de verre soufflé... Il ne nous reste qu'à regagner une chambre inconnue hier, oubliée demain, et à écouter sonner, du haut du balcon, les cent minuits des horloges de Rome.

Une première cloche tinte, une cloche lointaine, un bronze ancien et faussé : un coup de feu lui répond. Puis tout un bouquet d'artillerie éclate. Pétards, carabines, bombes sourdes ; une mitraille dont on cherche en vain, dans le ciel, la lumière en fusées, en pluie, en flammes de bengale — pas une lueur. Fête noire, feu d'artifice de guerre, où l'on n'admet que le bruit de la guerre... Mais des cloches et des fusils, cela fait quand même un beau vacarme de victoire, pendant un moment, et qui gonfle le cœur... Ayant sonné et tonné minuit, Rome se tait, laisse parler ses fontaines et respirer ses palmes immobiles, sous son ciel pâle comme un ciel africain.

Se pencher sur cette ville sans rivale, veiller à minuit, le 31 décembre, au bord d'un balcon, les épaules couvertes à peine, répétons-nous bien que c'est là une surprise, une joie d'étrennes... Répétons-le en nous-mêmes et tout haut, redisons-le assez pour qu'entre deux soupirs d'aise ne se glisse pas le regret d'un coin de France — celui-là où la lampe à huile luit le soir, à une seule fenêtre, entre les branches des chênes sévères et des châtaigniers au tronc d'argent, — un coin de France torturé d'hiver, oui, angoissé de guerre, certes, et boueux, et délaissé de ses laboureurs qui combattent, mais justement pour tout cela incomparable, et par-dessus tous les autres chéri.

PORTRAITS

POUR FRANCIS JAMMES

Entre Toulouse et Pau, l'an passé, j'ai voyagé avec un homme courtois, qui avait de beaux yeux de chèvre. Il me dit qu'il était sous-préfet d'Oloron, et son prestige ne s'en accrut point. Mais il ajouta qu'il connaissait Francis Jammes, — et s'en alla peu après, se demandant peut-être pourquoi cette « dame seule » à peine polie d'abord, lui jetait un adieu, un regard et un sourire presque tendres...

Il connaissait Francis Jammes... Je n'ai jamais vu Francis Jammes. Je n'ai pas besoin de le connaître, je sais mieux que vous comment il est. Il est assis dans un jardin à l'ancienne mode, et derrière lui la corne d'une montagne bleue entame le soleil déclinant.

Quand je serai très vieille, j'irai voir Francis Jammes. Je le trouverai dans son jardin de curé, assis devant la montagne bleue qui écorne le soleil au déclin de la journée, et respirant la rose prise au bouquet que je lui ai donné. Alors j'oserai lui parler, et lui dire : « C'est moi ! Reconnaissez-moi. Je n'ai jamais quitté, de toute ma vie, la barrière enlacée de fleurs où vous m'avez laissée, au seuil des *Dialogues de bêtes*... Je n'ai jamais eu d'autres amies que Clara d'Ellebeuse sur son âne, et Almaïde d'Etremont dans sa robe rose, et Pomme d'Anis sous les lilas... »

Il est vêtu d'une robe de moine, et il sourit à la rose qu'il tient, une ronde rose prise au bouquet campagnard posé sur ses genoux. C'est moi qui le lui ai donné, ce bouquet. J'ai durement cordé, comme une botte de poireaux, des roses, des reines-marguerites et des camomilles, et tout autour j'ai disposé une bordure bien régulière de « rubans » qui sont des herbes plates, rayées de blanc et de vert, et coupantes comme le chiendent. On lie ces bouquets pendant tout le mois de Marie, dans mon pays de Puisaye, et on les porte à bénir, le soir, au salut... Et ensuite on les fiche au bout d'une perche, dans les champs, pour éloigner la grêle, vous savez ?... Mais non, vous ne savez pas... Reconnaissez-moi ! Voici les lettres où vous m'appeliez « l'écureuil en cage » quand j'étais une jeune femme presque enfant. Voici, entre deux feuillets, la petite jonquille séchée, transparente comme un léger parchemin. Voici le narcisse blanc, sous l'enveloppe qui porte, dessiné de votre grande écriture, mon nom... »

Et comme il ne me répondra pas tout de suite, je m'effraierai, humble et mécontente devant lui, et je mentirai fougueusement, — comme on ment par amour : « Je n'ai jamais coupé mes cheveux, je n'ai pas erré de ville en ville, je n'ai pas dansé demi-nue !... »

Alors Francis Jammes sourira, de tout son visage que je ne connais pas, et levant sur moi la main qui tient la rose villageoise, il murmurera, de sa voix que je n'ai jamais entendue, des mots insaisissables.

Au même instant je me déferai toute, comme une robe vide, et rien ne demeurera de moi qu'une petite bête, écureuil, chien ou chat, lièvre aux narines de velours... A moins que je ne picore, poule tavelée, pigeon irisé, le blé miraculeux qui pleut dans les rayons du soleil, au paradis de Francis Jammes...

YVONNE DE BRAY

Un art aussi simple garde tout son mystère. Je parle de l'art d'Yvonne de Bray, quel lecteur d'ailleurs s'y fût trompé ? L'art de Cocteau n'est ni plus simple ni plus explicable que ne sont le spectre solaire, l'évanouissement de la mimosée-sensitive, un crime d'enfant, le rythme d'un animalcule marin qui, loin de la mer, obéit au rythme de sa marée natale.

Mais l'art d'Yvonne de Bray demeure d'une simplicité à faire baisser les yeux. Baissons-les donc, parfois, en écoutant l'interprète des *monstres sacrés.*

Non qu'il nous faille, non que nous désirions fuir le spectacle de ce qu'apporte, retire à une artiste le temps écoulé.

Pendant dix années, Yvonne de Bray s'écarta du théâtre, aussi fatalement que la bête hiverne, que l'insecte subit, méconnaissable, sa longue métamorphose.

La maladie, la claustration, le chagrin, la solitude, l'usage des remèdes néfastes, autant de haltes qui lui furent sans doute nécessaires.

L'idée de métamorphose est liée, depuis hier, à son destin, et plus d'un spectateur, en voyant cette comédienne à la haute stature, étreinte par une magnifique robe d'un bleu de flamme, appuyer les deux mains à sa taille comme pour se hisser hors d'elle-même, songea, comme moi, à la dernière éclosion de la libellule des étangs qui crève son dernier fourreau, projette autour d'elle le regard de ses yeux bombés et mesure, en reflétant l'univers, le mal et le bien qu'elle y pourra répandre.

Tout ce qu'a joué Yvonne de Bray, je l'ai vu.

J'ai vu ses débuts, les rôles de jeune fille amoureuse que lui confiaient, dans son extrême jeunesse, des auteurs plus qu'elle ingénus. Je l'ai vue blonde à ravir, — à ravir les autres — je l'ai vue cultivée par Bataille.

Mais, subjugué par elle, je regrettais toujours qu'il cédât au besoin de nous offrir, fût-ce un moment, l'apothéose plastique d'Yvonne, la robe blanche école anglaise, le chapeau noué sous le menton et la gerbe de roses couchée sur le bras.

Si je me laisse aller à mes fidèles souvenirs, j'en arrive à penser qu'Yvonne de Bray, interprète encensée de Bataille, servit Bataille mieux qu'elle ne fut haussée par lui.

Car, durant qu'elle portait des gerbes de roses sur sa gorge petite et agressive, qu'elle brûlait ses poumons avec la dernière élégance dans *Le phalène,* et versait en scène les authentiques, les froides larmes de la parfaite comédienne, elle recevait, certes, sa récompense de succès et de célébrité.

Mais elle ne faisait qu'attendre, patiemment.

Attendre quoi ? L'heure.

L'heure n'est pas la même pour tous les comédiens. Je crois que sous la molle mousseline, le dialogue sensuel, les morts prématurées, l'infidélité mondaine que Bataille mettait à sa disposition, Yvonne de Bray, sans le savoir, attendait d'effacer, sur son art et son visage, le trop de grâces qu'y voulut attacher le poète dramatique épris d'elle.

Déjà la prescience de Maurice Rostand la dota d'une couronne impériale, d'une majesté débridée et goulue.

Puis la charge passa à Cocteau, qui vient à point avec *Les monstres sacrés.*

A son génie mobile et réfléchi, Jean Cocteau joint une vue d'oiseau, un sens saisonnier des migrations : il vient de s'emparer d'Yvonne de Bray et de nous la rendre.

Elle n'est plus blonde, elle n'est point fatale. Elle reparaît sur la scène comme si les derniers applaudissements, qu'elle y cueillit, dataient d'hier. Ses cheveux, qu'elle ne daigne pas teindre, sont mêlés de noir et de blanc-mauve, de la couleur des pervenches dans l'ombre. Quant à ses yeux célèbres, — j'ai flatté Aristide Briand en lui disant, un jour, qu'il avait les yeux presque aussi bleus qu'Yvonne — ils sont, inexorablement, aveugles au public, voués à l'illusion sacrée.

Perdus dans l'univers de la fable ils ne sourient qu'à elle, qu'au partenaire magnifié par son rôle, qu'à l'amant qui ne saurait, sans se dissoudre, passer la rampe ou le portant.

Au premier acte, Jean Cocteau exige qu'Esther, comédienne célèbre, se démaquille sur la scène. Paisible, Yvonne efface son fard, le remplace par une touche de rose, un nuage de poudre, affronte la présence d'une actrice de dix-huit ans,

Commentaire mimique, plein d'une modestie insociable et assurée : Yvonne se dépouille ainsi, devant nous, des armes dont elle n'a pas besoin !

Nulle obligation professionnelle ne gâte ici mon plaisir de parler de la dernière pièce de Cocteau, après le plaisir d'avoir écouté la dernière répétition, par une nuit de tourmente de neige, si serrée qu'elle ensevelissait, dans la rue, les voitures immobiles.

« Quelle neige !... » disait le texte de l'avant-dernière scène où l'actrice, en entrant, secouait ses fourrures, car il arrive que le sorcier décide, en trois mots magiques, que les nuages s'ouvrent et versent leur blanche mouture...

L'atmosphère de la dernière répétition nocturne est lucide, récompense le spectateur favorisé.

Rien ne manquait à celle-là, pas même ce faux désespoir qui se propage du machiniste au couturier, de l'interprète à la modiste, en passant par le directeur qui n'a pas encore dîné à deux heures du matin.

Pas un détail ne défaillait, tous les abat-jour roses, toutes les verrières bleuâtres du décor rouge de Bérard étaient en place, mais le décorateur et nous-mêmes croyions les voir chanceler. Seul Jean Cocteau, aérien et invulnérable, grandi au sein de la réalité fantastique, déjouait les pièges de l'heure.

Comme la carrière du compositeur de musique,

celle du dramaturge comporte des tentations successives.

Dramaturge, musicien, nous ne connaissons leurs tentations que lorsqu'ils y cèdent publiquement. Le travail plus furtif du romancier nous révèle moins ses péchés de propension, au reste nous lisons vite, au lieu qu'écouter c'est prolonger en nous-mêmes ce que nous entendons.

La lecture critique nous éclaire, mais qui donc a le loisir de lire d'une manière critique ? Il ne nous échappa pas longtemps qu'Igor Stravinsky s'éprenait de Couperin...

Ce n'est pas seulement à cause d'Yvonne de Bray que le nom d'Henry Bataille revient sous ma plume.

Encore que, par plus d'une voix, elle le nie, la production théâtrale en France n'est pas près d'échapper à l'influence d'un poète dramatique inégal, féru de ses propres faiblesses, passionné à les exploiter.

Si je ne tenais tant à l'amitié d'Henri Bernstein, je lui dirais qu'au cours du deuxième acte, dans *Le Venin,* telle flexibilité amoureuse du dialogue, tel évident bonheur de ciseler, la grande scène-duo...

Dans *Les monstres sacrés,* et peut-être suscitée par la victorieuse présence d'Yvonne, c'est, au contraire, une sagesse-Bataille, une mesure-Bataille qui est administrée comme un parfum, comme une mélodie lointaine à Florent-Brulé (de la Comédie-Française) et Esther-de-Bray, directrice-actrice d'un théâtre.

Entre les deux personnages, la scène décisive, qui ne quitte pas un ton contenu, est si légère et si succulente — et si bien mise en scène, cher Brulé ! qu'elle a de quoi enchanter tous les publics. Par quel saut périlleux sur place, quel bond sans filet, quelle trajectoire où l'on croit distinguer un corps voyageant dans un faisceau de lumière poudroyante, l'auteur nous précipite-t-il dans le fou rire ? Chut... Je ne le sais que d'avant-hier. Ce sera votre tour demain.

ANGLAIS QUE J'AI CONNUS

Le hasard a voulu que je connusse un très petit nombre de sujets britanniques. Aucun étranger ne passait, autrefois, par mon village natal. Pour apercevoir un jeune Anglais en villégiature chez des châtelains, dans mon chef-lieu de canton, les enfants de mon âge et moi-même escaladâmes, en vain, des murs et grimpâmes au faîte des charmilles.

Aussi gardai-je un souvenir vif de mon premier Anglais — le colonel M..., un officier retour des Indes — et des dix jours que je passai dans son voisinage, en Angleterre. Je vous parle d'une époque lointaine, où Kipling n'avait pas encore conquis la France. Le colonel M... habitait un petit évêché du XVe siècle, la plus petite taille d'évêché qu'on puisse voir. La charmante résidence gothique, un printemps moite et fleuri, des boiseries de poirier noir, la crème au citron, la gelée opaline que les Anglais nomment « blanc-manger », une manière délicate et impersonnelle de rôtir la viande, le gigot bouilli et mint-sauce, tels furent les éléments d'un songe aimable dont je m'éveillais pour écouter les récits du colonel M... Bien avant de lire les cent nouvelles de Kipling et *Kim,* j'apprenais ce qu'un officier anglais de l'armée des Indes était appelé à supporter, et que les occasions ne lui manquaient pas de devenir assez vite savant en matière de solitude. Le colonel parlait français obstinément, avec une lenteur qui me donnait des crampes dans les mollets.

Néanmoins je lui savais gré de me conter qu'un livre français, sous un climat humide et torride, lui avait, m'assurait-il, sauvé la vie. Seul, dans une région profonde et perdue, entre deux serviteurs indigènes, attendant pendant soixante jours le passage de quelque camarade, après le rapide crépuscule, sous une lampe cernée d'une trombe d'insectes, il ouvrait un tome dépareillé du théâtre de Meilhac et Halévy et lisait *La Boule* en s'appliquant à ne pas franchir un mot qu'il ne l'eût compris, ou cru comprendre. Il me fit voir le volume, du moins ce qui en restait. Et, soulignant du doigt, pieusement, sur un feuillet à demi dévoré, une réplique, il éclata en grands « Ha ! ha ! » et ajouta :

— N'est-ce pas boulevardier ?

Puis il me dit comment il avait résisté où d'autres avaient défailli, fous d'isolement, fondus à la flamme du climat et de l'alcool :

— Tous les soirs, tout seul, je mettais le smoking pour dîner. Fantôme de smoking. Symbole de smoking. Pour symbole de dîner.

Sous la lune, le spectacle de la petite demeure ciselée, encadrée d'un gai cimetière, nous retenait longtemps, le soir...

— Est-elle hantée ? demandai-je.

— Elle a, dit gravement le colonel, une comtesse bleue qui se promène ici et tout autour.

— Une comtesse bleue ! m'écriai-je. C'est magnifique ! Racontez !

— Oh ! dit mon hôte avec modestie, c'est seulement une comtesse, et elle est bleue. Rien d'extraordinaire.

— Et vous l'avez vue ?

— Plus de dix fois.

— Et vous n'avez pas essayé de... l'empêcher de revenir ?

— Oh ! non, dit le colonel, choqué. C'est une dame. Et elle était ici avant moi, vous savez.

Sur ce dernier mot, je cessai d'insister.

Il parlait français aussi « pour garder l'habitude », avec son très beau chien setter ; sur la tête soumise du chien tombaient des sentences qui n'amusaient que moi.

— Vous avez regardé du côté d'une *liévre*. Vous devez regâder seulement du côté des *féïsans*. La *liévre* elle est sacrée dans le mois de mai. D'ailleurs le *féïsan* aussi. Vous devez pas porter un caillou, ni un bâton, vous risquez de gâter votre bouche. Si vous voulez porter, portez mon mouchoir.

Le chien baissait les yeux et recevait les conseils modestement. Mais un jour...

— Qu'est-ce que vous portez dans votre bouche ?... s'écria le colonel.

Pour répondre, sans doute, le chien ouvrit la « bouche » d'où s'envola un petit oiseau effaré. Son maître hocha la tête et dit, en manière d'unique reproche :

— A qui je peux donner ma confiance, alors ?

Je fis ma seconde rencontre anglaise dans la personne d'une superbe petite fille de vingt-quatre mois, rompue aux usages de la meilleure éducation. Le difficile maniement d'une cuiller, d'un œuf à la coque et d'une biscotte beurrée, Miss Vingt-Quatre Mois s'en tirait à merveille, mêlant la gravité à la coquetterie. Pourtant je vis une fois ses joues veloutées s'empourprer et des larmes couvrir les grands iris de ses yeux, joyaux pers. Elle croisa devant son visage ses bras nus et lutta contre ses sanglots. Car elle venait de s'apercevoir qu'une coulée de jaune d'œuf, échappée à la cuiller, déshonorait sa robe rose. Pendant un long moment, une enfant de deux ans exprima si pathétiquement l'humiliation et la pudeur blessée que je m'éloignai, par discrétion pure.

Faut-il que je porte, au compte de ma connaissance des Anglais, le soir ancien où, dans Londres que je traversais, se répandit brûlante la nouvelle d'une victoire — Mafeking — sur les Boers ? Je n'ai vu nulle part une si implacable joie populaire, ni tant d'hommes qui, sans clameurs, marchaient droit devant eux, par masses, comme s'ils foulaient leurs ennemis...

Enfin je mentionne ma meilleure relation anglaise : la nurse qui veilla sur ma fille de 1913 à 1921. Comment oublierais-je que pendant la durée de la guerre une revêche étrangère, bougonneuse, dure à tous et à elle-même, s'exila à la campagne, seule avec un petit enfant, para à tout, défendit ce que je possédais, se fit jardinier, médecin, cuisinière — et refusa ses gages ?

Il me semble, à moi qui n'ai pas approché vingt Anglais dans ma vie, que le hasard ne m'a pas mal instruite, s'il m'a prouvé brièvement que, de l'autre côté du détroit, on professe le respect de soi, le sens vif de l'honneur, l'amour des enfants et des animaux, une naïveté qui charme, la passion de vaincre, le désintéressement...

D'un ami parfait, si nous le choisissions, exigerions-nous mieux, et davantage ?...

UN SUICIDÉ

Et pourquoi ne se serait-il pas suicidé ? Je m'occupe, malgré moi, de cet homme à qui l'Europe, en pensant à lui, fait d'infâmantes obsèques internationales. La fausse information triomphe. Une variété éblouissante de certitudes court la rue, le restaurant, le magasin...

— Et, vous savez, c'est un policier anglais qui a tiré sur Stavisky !

— Moi, je vous dis qu'il n'est pas mort ! Les photos sont authentiques, mais il n'était que blessé, on le soigne dans une clinique et on a mis à sa place n'importe qui, un trépassé d'hôpital...

— Pensez-vous qu'un type comme lui se serait suicidé avant les assises !

Mais oui, je le pense. Je cherche à dépasser la zone perfide de la logique. Je regarde, dans ma mémoire, les traits, qui vont s'effacer, de l'homme que je rencontrais. La veille de son départ, il causait dans le hall de l'hôtel avec plusieurs hommes. Tête nue, mince, il riait.

Il excellait à n'avoir pas de visage, quand il le voulait, à ne compter que comme silhouette. Mais il ne perdait jamais l'occasion de montrer sa taille bien prise, ses mouvements aisés, sa jeunesse corporelle persistante et cultivée. J'insiste sur ce point que Stavisky n'était plus un *vrai* jeune homme, et que sa complexion délicate, peut-être un équilibre mental fragile, demandaient une attention constante, des ménagements précis. Il atteignait l'âge qui chez la femme est celui de la ménopause. Le « retour d'âge » n'épargne pas le sexe fort, qu'il charge de neurasthénie, de défaillances capricieuses, de doute. Dix ans plus tôt, Stavisky eût affronté les assises. Mais, en 1934, Stavisky était sans doute, derrière une façade étonnante, un homme fini.

J'affirme qu'un maquillage léger, mais visible, — crème et poudre — tentait de le rajeunir. J'accorde une extrême importance à ce détail.

Par lui je connais tout à coup les longues stations devant le miroir, l'étude lucide d'un visage déclinant, les luttes secrètes contre l'âge, une coquetterie désespérée. Je n'oublie pas que l' « homme traqué » pratiquait la vieille précaution, à laquelle sont fidèles les beautés menacées et combatives : une escalope de veau cru sur chaque joue. Après l'escalope venaient les mouvements rythmiques, le masseur, la manucure, le coiffeur, dont l'efficacité ne se bornait pas à défendre Stavisky contre la cinquantaine proche. Leur rôle véritable — Stavisky se l'est-il jamais avoué ? — était de s'interposer entre lui et la solitude. Quand l'a-t-on vu seul ? Une femme, une autre femme, des enfants, des amis, des complices, des ennemis, cent voix dans le téléphone, le restaurant, le casino, la salle de jeu, le bureau, un bruit de foule, des orchestres étouffés, les soupers, les tziganes du *Poisson d'or*, la danse, les plages... Tout ce bruit, toutes ces présences suffisaient-elles à faire oublier l'heure impitoyable où, dans la matinale lumière, Stavisky affrontait son miroir ?

Des âmes d'airain, des âmes féminines me comprendront. Stavisky, gibier sur ses fins, haletait sans doute depuis longtemps. Pour un aventurier jeune, la prison, les assises, c'est une manière de sport. Mais Stavisky, tantôt cinquantenaire, risquait d'y montrer l'homme que personne, pas même sa femme, n'a vu. En outre, il a regardé plus loin, il a vu le Stavisky épuisé qui, la boue traversée brasse après brasse, l'attendait sur une rive ingrate, l'attendait pour *recommencer*...

Tête à tête avec un ilote, avec la neige, un jeu de cartes, une petite bouteille d'encre achetée chez le papetier du village, submergé de silence, il se savait perdu. Pourtant, il a attendu encore... « Encore un moment, Monsieur le bourreau... » Sa petite main, sur le revolver, n'osait pas.

« Quand minuit sonnera... Quand j'entendrai l'Angelus au village... Quand j'aurai fumé la dernière cigarette de cette boîte... »

Quel suicide n'a pas son romantisme, et son

enfantillage ? Il a attendu qu'un poing fît voler en éclats la vitre de sa chambre, mais je crois que pour lui tout était dit. Et la preuve, c'est que depuis trois jours ce petit maître avait de la barbe — comme un mort.

DANSEUSES

ISADORA DUNCAN

Elle danse, sur une immense scène bornée de rideaux gris verdâtre, d'accablants rideaux sans issue qui s'entrouvent seulement pour la laisser passer, si petite et si seule... Et je songe à un dessin de Beardsley, « que l'on dirait gravé sur un miroir laiteux, avec la pointe d'un diamant noir... » Un obsédant dessin où des courtines d'un poids funèbre, à glands somptueux, abritent, étouffent le fiévreux songe d'une toute petite figure endormie...

Elle danse seule ; elle effeuille la fleur, cueille le papillon, lance et reçoit une invisible balle, ou des osselets qu'on ne voit pas ; elle presse une grappe imaginaire et s'en enivre, appelle et écoute un chœur d'ombres, semble défier son « double » transparent et lutter contre lui...

C'est une petite personne rondelette, qui a un menton ingénu ; l'attache du col, le port de tête, rappellent Mme de Pougy en plus jeune et plus robuste. Toute sa naïve personne exprime une compréhension très anglo-saxonne de la grâce antique, il faut bien le dire... Mais dès qu'elle danse, elle danse tout entière, de ses cheveux libres à ses durs talons nus. Le charmant et allègre mouvement d'épaules ! Le joli genou précis, lancé soudain hors des mousselines, agressif et têtu comme un front de bélier ! Dans sa bacchanale à la fois débridée et classique, la danse des mains, dont l'une appelle et l'autre indique, la danse des mains achève, empanache le désordre joyeux de tout le corps rose et musclé, visible sous des gazes tourbillonnantes...

Elle danse, elle est née pour danser. Elle pourrait danser masquée, car son corps parle plus que son visage, son visage aimable et superflu. Elle danse et ne mime point. Lorsque, couverte de voiles sombres, elle feint la douleur, fuit des ombres menaçantes, sanglote, conjure un Dieu réfugié là-haut, aux plis des lourds rideaux, nous attendons patiemment, poliment que l'instant d'après nous la ramène lumineuse, coiffée de feuilles, presque nue et portant seulement, sur sa peau rose et sanguine d'Américaine bien tubée, deux ou trois mètres de *pink chiffon*...

Elle danse, infatigable. On la bisse avec frénésie, elle acquiesce en penchant la tête, et recommence. Elle danserait jusqu'à mourir, sur ses pieds nus, merveilleusement muets ; je ne redoute pas, ici, l'abominable « poum ! » sourd qui me gâte, à l'Opéra, les acrobaties chorégraphiques de ces demoiselles... Elle se détend en sauts silencieux d'animal aux pattes feutrées, et choit, à la fin d'un tournoiement de bacchante, sans plus de bruit qu'une fleur fauchée...

Sa guirlande d'enfants, formées à son image, fanatise un public à la fois snob et sincère. « Quels amours ! » Une ronde d'amours, oui, un bas-relief grec, oui ; — mais qu'aurait copié le crayon attendri de Frölich. Ces grâces douillettes et joufflues, ces bébés vêtus d'un bout de gaze et d'un ruban noué à l'antique sur le front, je les revois aux pages d'un vieux magazine d'Hetzel, qui charma mon enfance...

Il y a, parmi ces enfants vêtues d'une tunique aussi courte qu'un pagne, une jeune étoile, onze à douze ans, une isadorette blonde, d'un cabotinage délicieux, que Paris déjà flatte et encourage. Il faut la voir — quand les jeux de la ronde et de la guirlande la ramènent à l'avant-scène, — secouer ses cheveux dorés, lever son petit pied de faunesse, tourner vers la salle ses yeux couleur de fleur de chicorée, et surtout rejeter en arrière la tête, en découvrant un cou de jeune colombe, avec un abandon, une molle ardeur de femme amoureuse...

Pendant les pauses et les entractes, le public vaut, lui aussi, qu'on le regarde. Fourrures jusqu'aux oreilles, chapeaux jusqu'au menton, on ne voit plus des femmes, cette année, qu'un bout de nez insolent, une mèche bouffante de cheveux faux et la moitié d'un œil... O les folles ! Plus de nuques ondulées et tentantes, plus d'oreilles roses, plus de jolis cous serpentins... Tête nue, elles portent sur leur bonnet de cheveux et serré de la nuque aux sourcils, le ruban large comme un pansement, qui leur donne un air convalescent et pas lavé... Le corps trépide impatient, bridé, dans une robe « Tanagra » qui souligne la croupe et entrave les pieds.

Robe Tanagra, écharpe Tanagra, corset Tanagra (sic), corset qui descend de l'aisselle, jusqu'au genou, qui interdit de s'asseoir, de manger, de se baisser, de... parfaitement ! Car le corset Tanagra contient tout, retient tout... Pauvres petites « Tanagras » de Paris, si peu faites pour cette mode cruelle des femmes-serpents debout sur leur queue ! Leur derrière à fossettes remuant et agressif, leur gorge en pommes, leurs hanches expressives, elles ont tout sacrifié au corset Tanagra, dur maître qui les broie. Elles rompent, et ne plient point. Elles vont, héroïques et bornées, le chapeau sur l'œil, une petite barrique de pelleterie sur le ventre en guise de manchon, nues et gelées sous leur robe sans doublure ni jupon, et toutes mauves de froid sous leur premier chapeau de paille, le chapeau frais éclos du 25 janvier dernier. Oh ! les chapeaux ! Ajouterai-je, au procès qu'on leur fait depuis deux ans, quelques lignes inutiles ? Les nommerai-je baquets, melons, vases nocturnes, bacs à charbon, bonnets de sapeur ? A quoi bon ? Je me bornerai à enregistrer ce signe des temps : une grande modiste, pour faire valoir ses créations, n'emploie plus, auprès d'une cliente favorite, les mots : « chic, allural, délicieux, distingué... » Elle dit : « Regardez celui-ci, est-il assez ridicule ? Une trouvaille, hein ? Et celui-là, hein ? On ne sait plus ce que c'est, il est tordant ! Et ce petit dernier-là ? Il est complètement idiot, on se l'arrache ! » Et la cliente de choix — vous, moi, ou mon amie Valentine, — coiffe jusqu'aux oreilles le « petit qui est complètement idiot » et s'en va, ravie...

Je songe à la bizarrerie féminine, en regardant toutes ces femmes qui applaudissent Isadora Duncan. Levées à demi pour mieux crier leur enthousiasme, elles se penchent ligotées, casquées, colletées, méconnaissables, vers la petite créature nue dans ses voiles, debout sur ses pieds intacts et légers, et dont les cheveux lisses se dénouent...

Qu'on ne s'y trompe pas ! Elles l'acclament,

mais ne l'envient point. Elles la saluent de loin, et la contemplent, mais comme une évadée, non comme une libératrice.

IDA RUBINSTEIN

Je n'ai jamais rencontré, à la ville, Mme Ida Rubinstein. La première photographie que j'ai vue d'elle rapprochait, tempe à tempe, son visage et celui d'un lionceau, ou d'une jeune panthère. Les deux visages s'éclairaient des mêmes yeux clairs, pleins d'une fauve douceur et de l'étonnement propre aux êtres qui ne sont et ne seront jamais ni d'ici ni d'ailleurs.

Depuis qu'échappée à la rude main de Fokine, elle a rompu l'invisible entrave qui ralentissait les pas de Cléopâtre et retardait l'élan de Shéhérazade, elle ne cesse de vouloir quitter le sol, s'exprimer par des moyens verbaux, courir, peut-être chanter... Avant qu'elle dansât, nous ignorions qu'elle n'était point ailée. Mais je témoigne toujours beaucoup d'intérêt, et parfois de déférence, à ceux qui essaient et qui se trompent, et qui recommencent. Ce n'est probablement pas par le nombre et la variété des manifestations scéniques que s'imposera Mme Rubinstein, mais par la sérénité qu'elle garde dans l'erreur comme dans la réussite.

Au bout de la lorgnette, mardi soir, je regardais ses clairs yeux qui n'ont pas l'air de voir le même monde que les nôtres, — les yeux du lionceau. Il n'y a rien d'aussi naïf qu'un fauve, vous pouvez m'en croire. Tellement, que je répugne à le tromper — et à le détromper... Mais nul ne peut leurrer, ni éclairer, de notre point de vue humain et raisonnable, la foi de Mme Rubinstein. Elle endure la critique impartiale, la caricature, la plus lourde plaisanterie, l'injurieux rire. Par quoi la blesserait-on ? Retirée au sein de son enthousiasme, elle travaille.

Ses quatre derniers ballets ont empli quatre fois l'Opéra. Elle peut donc être fière. Mais a-t-elle de l'ambition ? Je ne sais rien d'elle, et j'ai plaisir à l'inventer, comme si je parlais, en la modelant à mesure, d'une ballerine couleur d'ambre, délirante sous ses guirlandes et sa jupe de raphia au bord des mers chaudes. J'imagine qu'Ida Rubinstein a l'âme plus grande, encore plus grande que le corps, et que cette âme, au moindre choc, résonne. Un signe matériel, apposé sur Ida Rubinstein, suffit à l'illuminer, à l'illusionner. Elle est saint Sébastien, si vous la revêtez d'une armure, Salomé moyennant une tête coupée, David en brandissant la fronde, et Cléopâtre glacée sous l'aspic, même si le rôle de l'aspic est tenu par un inoffensif orvet. C'est que la lecture d'un texte l'a ravie à la réalité, ou la contemplation de quelque belle peinture. Elle a soif de nous communiquer la prodigieuse nouvelle de chaque incarnation. C'est alors qu'elle heurte un transparent miroir infranchissable, qu'elle s'empêtre dans des nues d'où elle nous appelle, nous supplie, cherche à nous convaincre. « A l'aide ! ne voyez-vous pas que je suis la reine d'Egypte ? Comment ne sentez-vous pas que mes plaies sont bienheureuses ? Touchez-les, baignez-les, voyez, Sébastien saigne ; voyez, la fée que je suis vole comme un flocon ; David, et non Ida, bondit devant Saül plus haut que ne le font les gazelles... Ah ! voyez donc ! » Nous devrions avoir honte de ne voir que ce que nous voyons... La brûlante conviction, la bonne foi qui se débattent engluées, devant nous, valent mieux que notre lucidité.

Mme Rubinstein aime le luxe comme une femme l'amour, c'est-à-dire qu'elle le traite en matière de première nécessité. Le lamé d'or pour marcher dessus, l'argent pour couvrir un toit, le velours pour étancher la sueur ou la pluie. Ciseler ce que nul œil ne doit voir, doubler de soie la portière qu'on ne relève point, voilà des satisfactions de l'âme et non des sens. Mme Rubinstein, qui ne cesse pas de les goûter dans le privé, prétend les porter à la scène : reconnaissons que grâce à elle le deuxième tableau de la *Princesse Cygne* brille d'or et d'argent, de broderies et de passements qui pèsent leur poids. Danses vives, festin, coupoles au loin suspendues...

Le travail doit être, pour Mme Rubinstein, une sorte d'ivresse. Elle travaille trop pour juger des fruits de son labeur, dont l'obstination ne lui permet ni mesure, ni repos. Elle s'attaque, cette année, à la danse classique, qui lui résiste. J'imagine qu'elle n'accepte, en dehors des leçons techniques, aucun conseil, sinon le premier venu eût pu lui dire : « La danse classique, c'est un métier, et non la création d'un rôle. C'est, le plus souvent, une ponette rablée, nourrie, à qui sa petite taille et son athlétisme spécialisé permettent les déplacements rapides. C'est une créature dense, qui paraît légère. C'est un foyer générateur de courbes infinies. C'est aussi une paire de jambes qui, parfois, ne vaudraient pas un regard dans la rue, — le cheval et la danseuse de pur sang ne gagnent pas à se montrer au repos — mais que leur départ dans l'espace glorifie. La danseuse, c'est... »

Madame, la danseuse ce n'est pas vous. Une mime, qui nous enchanta, habite votre corps surprenant, au long duquel la grâce se propage lentement, par ondes, écrirai-je, annelées. Oubliez le Pygmalion mal avisé, qui vous voulut frénétique. Que le mouvement déréglé vous quitte. Votre ami le lionceau vous enseignera que les fauves ne trottent point. La mimique est votre empire, votre énigme peut y trôner. Parcourez-le, de la calme fureur à la volupté immobile. Quand vous vous arrêtez un moment, le bras en javelot, portée sur les fûts délicats de vos jambes, il nous semble que nous voyons vos ailes repousser...

MATISSE ET SES DANSEUSES

Une seule fois, j'ai franchi un seuil au-delà duquel Matisse peignait. C'est l'amoureux des grandes œuvres peintes, Francis Carco, qui me conduisit dans une chambre d'hôtel qu'occupait Matisse, — il y a bien trente ans — à Nice, sur la Promenade des Anglais. Il n'avait choisi ni le meilleur hôtel ni le meilleur appartement. Je me rappelle que la plus banale chambre, ses murs, ses meubles, débordaient d'esquisses, et de paysages achevés. Un petit sous-bois éclaire encore dans mon souvenir la paroi où Matisse l'avait négligemment suspendu, un petit sous-bois, aux couleurs d'un lumineux automne encore jeune.

Nous n'échangeâmes, Matisse et moi, aucune parole qui méritât d'être retenue. Matisse et Carco causaient ensemble. Toute la pièce exhalait son chaleureux langage d'arbres tourmentés, de ciels, de carnations humaines. Entretien d'initiés, auxquels je ne me mêlais pas. C'était en ce temps-là affaire, chez moi, de timidité, non d'incompréhension. Timidité également, mon silence chez Forain, durant que je posais pour un portrait lithographique et qu'avec une intonation, une ironie d'une cruauté indicible Forain me nommait « mon petit ange de minuit », parce que je m'habillais obstinément de noir, et me coiffais en bandeaux...

Un hiver niçois ensoleillé, une chambre d'hôtel où le luxe était peinture, paysages, visages féminins dont la joue est caractéristiquement, suavement arrondie, — c'est jusque-là qu'il me faut remonter pour rencontrer, la première fois, Matisse. Entre la première fois et la seconde, entre la seconde et la troisième s'écoulent des années, des lustres. L'admiration qu'inspire un artiste ne saurait constituer un lien, ni une voie d'accès, si une certaine sorte de familiarité, d'habitude sainte, ne l'a pas, en la précédant, imposée.

C'est en 1948 que la porte d'une chambre, d'où je ne puis plus guère sortir, s'ouvrit, et laissa entrer Matisse en sa quatre-vingtième année. L'importance de sa stature, l'aisance qu'il mit à s'asseoir près de mon lit occupèrent toute la pièce. Quelle importance ! Le son assuré de sa voix encourageait à remarquer l'heureux coloris de son teint, une végétation légère de cheveux persistait sur son crâne. Il était vêtu, non comme un octogénaire frileux, mais comme un homme qui, par la saison froide, a choisi un bon complet pelucheux. Il sembla content, se carra dans un fauteuil, approuva le Jardin du Palais-Royal, et me fit les honneurs des images de Matisse, qu'il m'avait apportées. Dans cet album-ci il leur assigne une place qui ne leur ôte ni leur clarté ni leur mystère.

Je n'ai, pour déchiffrer Matisse, que l'aide d'une très bonne photographie en couleurs. Un nombre fatidique d'années le modèle, encore que par sa force il échappe à une contrainte qui déjà me courbe. La vaste retraite de Matisse, je fais mieux que m'y diriger, elle m'est un pays connu. J'ose y revendiquer des similitudes. Une grande île centrale chez Matisse et chez moi, attira, puis cessa d'attirer les mots de confort, d'étais, d'agrément ingénieux, de sommeil. La grande île, c'est le lit, qu'enjambe la table compliquée, que gréent ses niveaux variables, ses crémaillères, ses moelleux lainages qui, chez Matisse bruns comme la glèbe, rougeoient dans mon logis. Quelque branchage verdoie, quelque objet sans destination précise brille sourdement, le vent feuillette l'incoercible bagage des peintres et des écrivassiers...

Orgueilleusement j'énumère, on le voit, ce qui dans une chambre d'impotente s'autorise à imiter l'opulent décor où le grand peintre d'une époque édifie une chapelle et fleurit, d'un chemin de croix dispersé sur son mur, sa catholique sérénité.

Loin de notre religion un grand poète appela, autour de ses dernières années de souffrance, les urgents secours de la couche aux draps frais, la lampe adoucie, le lé de mousseline superposé au lé de mousseline, le store baissé... Un récif majestueux ravagé par l'insomnie, des crayons de pastel, des hexamètres brisés, le whatman du peintre, les éclaboussures de l'écrivain : voici que monte, du fond d'un souvenir, une troisième chambre de patience, et que la chambre de la comtesse Anna de Noailles est à l'image, presque, du lieu méridional et sévère où Matisse, du bout d'une longue latte empennée de fusain, besogne sur son plafond qu'il illustre.

Les danseuses de Matisse sont déjà depuis longtemps auprès de moi, dans leur état d'humilité photographique. Mais c'est la main du peintre qui, sur leur surface vernissée, leur a départi, à l'encre, des numéros d'ordre. De sorte que, mécaniquement reproduites, chacune arbore une trace « originale » de Matisse en chiffres romains.

Le courage m'avait manqué, plutôt l'impertinence, jusqu'ici, pour les troubler fût-ce d'un mot, dans leur équilibre comme dans leur frénésie. Sauf la première, elles ont peu de visage et n'en ont pas besoin. Quelqu'un a dit : « On doit pouvoir, pendant qu'elle danse, couper la tête d'une danseuse sans que personne s'en aperçoive. » A coup sûr, ce quelqu'un aimait la danse. Matisse aussi. Si sa danseuse première, Madame Un est agressive, et nous dévisage, c'est qu'elle va danser, elle sent qu'elle va danser, qu'elle ne pourra pas ne pas danser... Aussi danse-t-elle dès sa seconde image, et la paix l'a reconquise avec le mouvement. Debout sur une seule jambe, elle ignore que son autre jambe escalade derrière elle tout son corps. Elle a reclos son visage. Elle dort. Ou bien elle est morte. Elle danse.

Je crois plutôt qu'elle est morte, puisqu'au numéro III elle s'efface... Sa jambe unique est celle d'un gracieux héron. Encore un moment, et sa matière humaine se résout au coquillage, au pilastre... Elle est le tronc même de la danse, la larve de la danse, l'œuf de la danse, une longue éclosion annoncée comme celle de la fleur d'iris non déhiscée... Elle m'encourage à proclamer qu'en elle je ne lis pas encore nettement...

Mais je n'avais pas prévu qu'en devenant Quatre elle rejetterait tous ses membres parce qu'ils sont inutiles à sa danse : voyez, elle n'a besoin pour danser que de pétales, que de paradoxes, que de tentacules... Géographies linéaire et botanique vont-elles se disputer, entre Quatre et Cinq, une tête qui semble renoncer aux épaules, et une étonnante marcotte de bras qui retourne à la terre et s'y enracine ? Nous n'avons pas le loisir d'en décider. L'espoir d'une accalmie ne fait que passer sur la fleur torse, sur l'algue, sur une crête dentée qui songe à devenir sexe, puis toute l'énigme féminine avorte et se flétrit pour ressusciter multiplié en VII. Sept est une reprise de fureur, une chorégraphie à quatre pattes entre lesquelles, en VIII, grelotte une amorce de tête, et le tout exprime la joie au moyen d'un prodige de dessin, d'une flexion exaspérée des lombes, d'un muscle en forme de cosse, d'un ébaudissement inexpliqué comme celui de la pâte qui gonfle et explose dans la nuit du four...

Mais la fin du drame immine. La danseuse IX subit une lamination favorable, un coup de grâce dont elle résonne tout entière : tendez, non seulement votre regard en quête de bras, de sein, de chevelure, tendez aussi le sens qui recueille les sons : Musique, je veux dire la danseuse IX, vibre, s'accorde un répit gymnique, une facile arabesque, rythme son bourdon aigu d'abeille. Tout n'est pas dit : la danseuse X est aux aguets, et ses quatre membres d'X exigent un écartèlement que décrète un seul génie. Jambe au ciel, jambe au sol, tête perdue, bras de-ci de-là, elle choit, elle croule, elle succombe, — jusqu'à un certain point. Ce point certain, c'est la main, c'est le vigilant cerveau du peintre qui la fixent et qui d'un corps désordonné tirent la promesse d'un équilibre éternel.

GASTRONOMIE

En France, la gastronomie française ne manque pas d'historiographes. Une bibliographie importante chante ses mérites, son ancienneté, ses raffinements. Cinq cents recettes se vantent d'accommoder les œufs, trois cents morceaux littéraires varient la préparation du poulet, et quant aux entremets, personne ne peut les dénombrer. Ce n'est donc pas le commentateur, ni le fanatique, qui font défaut à sa gloire. Mais elle risque de manquer bientôt de cuisiniers, et surtout de cuisinières.

Car la femme peu à peu se retire de l'art culinaire, qui fut le sien, qu'elle a enrichi sinon fondé, qu'elle a maintenu sinon inventé. Je suis née dans une province où l'on mangeait bien sans même se douter qu'on était gourmand. Chaque foyer, aisé ou pauvre, pratiquait dans mon village natal une gastronomie qui s'ignorait, la vraie gastronomie, celle qui sait tirer, de tout produit modeste, le meilleur parti. Le légume d'hiver, la pomme de terre, se faisait friandise, parce qu'elle cuisait au sein d'une cendre tamisée et brûlante, qui ne quittait pas un chaudron de fonte noire. Les tubercules sortaient de là blancs comme neige, farineux, et nous les mangions en guise de goûter, poudrés de sel, creusés, et dans la cavité nous enfouissions de petits dés de beurre, tout frais et bien froid. « Ce n'est pas là de la cuisine ! » me dites-vous avec dédain. Je vous demande bien pardon. C'est le commencement de la cuisine. Tous les enfants ont volé des pommes de terre dans les champs. Après il s'agissait d'extraire d'un tubercule une goutte d'eau, sans l'affadir au sein de la vapeur. A une bonne école classique, j'ai appris autrefois que la cuisine se fait, au début, avec rien. Le feu, le sel, l'instinct divinateur d'une juste durée de la cuisson. Patience ! Si je lègue à mes lecteurs américains ce que j'ai appris, il leur faut comme moi commencer par le commencement. Plus tard, viendront l'huile pure, l'huile d'olive, et le beurre fin. Puis la viande qui se repose, selon la saison, un jour ou deux jours, et le poisson qui ne supporte pas d'attendre. Puis les aromates, le poivre gris pour les sauces, le poivre noir des

Antilles pour les grillades saignantes. Puis les mariages audacieux entre sel et sucre, entre doux et rude... Enfin apparaissent les grandes inspirations, les coups de génie réfléchis, que récompense une longue gloire, et qui attachent à des plats révérés, les noms des novateurs délicats... Sont-ils cent, ces noms de gastronomes illustres ? Pas même cinquante. Saluons-les. Mais reconnaissons qu'ils n'auraient pas suffi à établir la renommée de la cuisine française, sans le secours des mille inconnus modestes, qui tournèrent, qui tournent encore la mouvette de bois dans une casserole bien assise en plein feu, goûtent, savourent, rêvent un moment, ajoutent une goutte d'huile, un grain de sel, une petite feuille de « farigoulette »... Nos ménagères de France sont encore habituées à peser sans balances, mesurer le temps sans horloge, surveiller le rôti avec les seuls yeux de l'âme, et mêlent œufs, beurre, farine selon l'inspiration, comme de bénignes sorcières.

Tout change, hélas, et les merveilles françaises de l'art culinaire non moins que le reste. L'Amérique est bien un peu coupable, même dans le culte qu'elle professe pour la cuisine de France. Pour l'Amérique, notre « chimie de gueule », délicate entre toutes, a consenti à forcer les doses, et mis le feu à un calme édifice construit selon des règles anciennes. Les bonnes recettes de France ne sont point toutes écrites dans des livres ; mais transmises de bouche à oreille, consignées parfois dans des cahiers d'enfants, ou copiées par d'anciennes jeunes filles sur le feuillet à dentelle d'un « Album » pourvu d'une serrure dorée... Là nous puisâmes, autrefois, de grands principes qui ne sortaient pas de France. Sous le manteau d'une cheminée vaste et noire comme la gueule d'un dragon, Mélie, qui m'avait servi de nourrice, devenue simple servante, cuisinait modestement. La modestie d'ailleurs ne lui ôtait pas toute fantaisie. De temps à autre elle saisissait, derrière l'horloge à fleurs peintes, un violon de bois rouge et son archet, et se jouait un petit air. Puis elle retournait à son feu, et à son four, où cuisaient quelque merveilleuse tarte à la citrouille, un tendron de veau. Je lui réclamais un œuf mollet, noyé dans sa sauce onctueuse au vin rouge, une espèce de matelote pourprée. Le jour où l'on faisait la provision de beurre fondu pour l'hiver, je prélevais moi-même, sur la grande bassine de vingt litres, l'écume rousse, qui monte sur le beurre bouillant pendant qu'il se clarifie. Cette impureté du beurre, ma nourrice la pétrissait avec de la farine et du sel, l'enfournait... Où retrouverai-je le goût paysan, un peu âpre, la consistance sableuse de telles galettes. Nulle part. Dans quel recueil apprendrez-vous qu'aucune *Dugléré* savante n'est comparable au poisson de la Méditerranée, grillé sur les pierres rougies au feu, pourvu que vous l'arrosiez de vinaigre rosé, d'huile d'olive vierge ? Cuisine polynésienne, dites-vous ? Appelez cela comme il vous plaira. De nos rivages méditerranéens, de nos pêcheurs qui écrasent le foie des langoustes et des mulets dans l'huile pure, les rehaussent d'épices calculées, sont venues toutes les carpes à la broche, tous les mulets flambés au fenouil dont vous faites grand cas sur les terrasses des Palaces, quand vous nous faites visite. Je puis vous parler aussi avec orgueil de la vieille daube provençale, où s'incorporent l'un à l'autre, les gros dés de bœuf, l'ail, le lard fin, l'huile qui fait la partie obscure de la sauce, le vin qui en est la partie brillante, l'arome personnel. Ce vin, qui ne touche la viande qu'une fois cuit et recuit, diminué des deux tiers, nous gardons, pour le réduire, une vieille assiette creuse en terre, craquelée à force d'affronter le feu, et qu'on lave le moins souvent possible. Je m'explique : au lieu de la laver, nous la remettons, quand elle est vide, sur la flamme qui la sèche. Elle garde une petite croûte brunâtre de vin rissolé, et ses craquelures elles-mêmes s'imprègnent de vin. Elle ne sert qu'au vin de la daube ; elle est un vase sacré, presque consacré...

Si je dois poursuivre ici le plaidoyer que j'entreprends pour la *vraie* cuisine, simple, ancienne, réfléchie, j'aurai sujet de dire que, sauf de rares exceptions, elle écarte, de tout ce qu'elle élabore, la brutalité de l'alcool ; — que la tarte à l'abricot arrosée d'eau-de-vie est œuvre du démon, que le bœuf-mode dont l'arrière-goût révèle l'adjonction du « marc » de Bourgogne est une hérésie... Me faudra-t-il, le schisme s'aggravant, tonner contre l'adjonction du whisky dans l'omelette ? A défaut de la foi qui fait les martyrs, j'ai le goût fin, et l'estomac robuste. C'est assez pour partir en croisade !

Peut-être à cause des étangs dont je fréquentais les eaux souvent basses et les bords jonceux, je ne passais pas un an, quand j'étais enfant, sans un accès de forte fièvre, qui montait et descendait, ne laissant point de dommages. Chez nous, on nourrit la fièvre, et de temps en temps, s'approchaient de moi le riz au lait sucré, le blanc de poule, le consommé... Mais je repoussais le tout d'une main chaude, et je soupirais :

— Je voudrais du camembert...

A un être aussi naturel, aussi vif et plein de fantaisie que l'était ma mère, le camembert ne semblait pas plus suspect que la pomme cuite, et elle me donnait du camembert. Si le camembert manquait, je voyais venir un roquefort bien veiné, ou l'un de ces fromages plats, « passés » dans la cendre de bois, secs et transparents comme le vieil ambre. C'est ce que j'appelle, en me reportant vers mon jeune âge, avoir reçu une bonne éducation :

Fromage, poésie !
Parfum de nos repas,
Que deviendrait la vie
Si l'on ne t'avait pas ?

Ce cri de gratitude anxieuse échappe à Monselet. Que deviendrait la gourmandise française sans le nombre, la variété de ses fromages, la perfection de son art fromager ? Les grandes rouelles du brie, le pont-l'évêque, le gournay, le lisieux, les fromages du marquisat de Sassenage, et bien d'autres, étaient célèbres et de première nécessité dès le moyen âge. A diversité de fromages convient diversité de vins. Sous Louis XIII, Paris exigeait aussi le parmesan, les fromages de Suisse et de Hollande : ce dernier est d'une grande ressource aux pauvres gens ! Autres temps...

En Basse-Bourgogne, autrefois, le lait à trois sous, puis à quatre sous le litre, le laitage caillé, les fromages sur la claie faisaient l'enfant bien nourri, et sobre de viande le travailleur. Tous les moments du fromage nous étaient bons : gelée tremblante, douce, à peine figée, puis gros caillé pressé, cuit en couche épaisse sur une grande pâte à tarte salée. Puis fromage fait, taillé généralement en triangle, dompté à même la tranche de pain sous le pouce de l'ouvrier des champs... Là-dessus une salade de pissenlits, baignée d'huile de noix, un coup de vin... Un tel repas champêtre me mouille encore la bouche en y pensant, à cause du vin de Treigny, à cause de la salade et de sa gousse d'ail, — à cause surtout du fromage.

Non loin de mon village se façonnaient les soumaintrains, les rouges saints-florentins, qui venaient sur notre marché, habillés de feuilles de betteraves. Je me souviens que le beurre se réservait la longue, l'élégante feuille de châtaignier, dentelée sur les bords...

Voyager en France, c'est d'abord voyager dans le plus beau pays du monde, et le plus individualiste, individualisme alimentaire, fierté locale, attachement à une particulière finesse du goût, oh ! ne nous quittez pas ! Je vous trouve encore presque partout, imprévus, cachés, aimables à rencontrer autant que le mousseron sous l'herbe... Près de Paris, à moins de quarante kilomètres, de petits fromages ronds, blancs, mi-crémeux, enveloppés d'une feuille de platane sèche, m'étonnent : « Comment les appelez-vous ? — Les fromages d'ici », dit la marchande.

Paris a tous les fromages. Apres, doux, apéritifs, riches de ferments, affinés en caves de France ou mûris au loin, aucun ne chôme d'acheteurs. C'est l'amateur éclairé qui est rare. Friandes de fromage, les femmes s'en privent, depuis que la terrible névrose de la maigreur les gouverne. Une femme savait mieux choisir le fromage qu'un homme. Tâter la croûte, mesurer l'élasticité de la pâte, *deviner* un fromage ; c'est un peu affaire de radiesthésie. Etudier la manière dont un camembert, un reblochon, un maroilles font craquer leur croûte, dont le centre d'un pont-l'évêque fait le coussin ou la cuvette, juger qu'un munster distille une perle trop liquide qui promet l'âcreté prématurée, le mordant plutôt que le suave, autant de soins qui se perdent. J'ai honte, chez Brussol, où j'interroge l'avers, puis l'envers des fromages, quand je vois le défilé des clientes : « Vous avez un bon camembert, bien coulant ?... Je voudrais un pont-l'évêque tout ce qu'il y a de meilleur... » Pas un regard d'intérêt aux fromages, reliés de cuir doré, mystérieux sous un lichen épais. Pas un geste d'enquête personnelle. Elles payent et s'en vont. A moins qu'elle ne musent, indécises, pour avoir l'air connaisseuses...

Si j'avais un fils à marier, je lui dirais : « Méfie-toi de la jeune fille qui n'aime ni le vin, ni la truffe, ni le fromage, ni la musique. »

Si ma fille me demandait des conseils sur la contribution qu'elle doit apporter à un pique-nique, je lui dirais : « Si tu fournis le dessert, les convives seront satisfaits. Si tu choisis les fromages, ils te seront reconnaissants. » Mais ma fille ne me demande pas conseil. Un jour, le même repas improvisé nous réunit, et je vis qu'elle avait apporté les desserts, et les fromages aussi.

Et je rougis d'orgueil. Après quoi, je fis à ma fille un petit discours sur les dépenses inconsidérées. Elle répondit : « Oui, maman » avec déférence et en pensant à autre chose. Et nous sentîmes toutes deux, avec un contentement égal, que nous avions fait chacune notre devoir.

PARFUMS

Ce n'était pas sur la valériane que se roulait, comme font les autres félins, ma dernière et mémorable chatte. Sa forte personnalité, qui savait choisir, avait élu les gants, froids et souples, qu'on nommait autrefois gants de Saxe. Elle les flairait, changeait de visage, rêvait longuement, l'œil pâli et la gueule entrouverte. Sa demi-extase finissait le plus souvent par une petite nausée. Puis la chatte se ressaisissait et retournait à son charmant air de distinction et de pruderie.

Fragrance, attrait inexplicable qui séduit la bête et l'homme, superflu nécessaire, cause impérieuse de certaines amours... Aucun être vivant n'est indifférent au parfum. Je suis fidèle au mien depuis quarante ans et plus. Il m'accompagne partout, et plaît. « C'est vous qui sentez bon comme ça ? » Oui, c'est moi. Je sentirai bon « comme ça », et non autrement, jusqu'à ce que je ne trouve plus une goutte de mon essence préférée. C'est un bon parfum, un peu gras, qui conviendrait mal à une femme longue et mince. Sa base est florale, mais j'y ajoute ce qu'il faut pour l'alourdir, — bref pour qu'il me ressemble. Seuls l'aiment ceux qui comme moi ont une inclination vers une série de parfums « blancs », exhalés par le jasmin, le gardénia, le bouvardia, le pittosporum, le tabac blanc, le datura, toutes fleurs blanches, pulpeuses, odorantes entre six heures du soir et six heures du matin. Le jour, elles se reposent d'embaumer, et parfois échangent leur enivrant arome contre une fétidité légère. J'oubliais de mentionner un lys des sables, sauvage, ami des plages qui se souviennent d'avoir été marécageuses. Le promeneur, aux environs de Saint-Tropez, détruit le lys sauvage en arrachant le bulbe avec la fleur. D'un maigre profit pour les bouquets décoratifs, il ferme à demi, à la grande lumière ses modestes corolles. La première fois qu'une botte de lys des sables passa la nuit près de mon lit, sa senteur m'éveilla, après minuit, comme eût pu m'éveiller une crue de rivière, une grande rumeur, l'approche de l'invisible. Ma chambre, la maison, la terrasse, son terrible parfum — un parfum que l'on dit à la perdition de l'âme et du corps — les envahissait sans rencontrer de limites, et s'avançait jusqu'à la route. Il était deux heures du matin, et les lys me montrèrent, méconnaissables, leur figure nocturne. En proie à une dilatation qui semblait le commentaire de leur haleine frénétique, ils n'étaient que corolles distendues, styles griffus, étamines dardées... Je m'épris, quinze étés durant, de ces démons sans tache, et je dormais sous leur garde étouffante, paisiblement, alors qu'un thyrse de lilas suffit à m'incommoder. Que ne dure-t-elle toute l'année, leur cousine la tubéreuse ! Elle est favorable à mon travail, je repose à côté d'elle comme auprès d'un fauve bienveillant. Elle aime l'eau, l'atmosphère brumeuse et douce, un plafond de nuages bas l'exalte. Ses hampes se tiennent, au seuil de l'automne, droites et sans fléchir sous l'excès de leur parfum. Elle est la dernière grande odeur délicieuse de l'été. Après elle, nous n'avons plus que les roses affaiblies, l'amer chrysanthème, puis nous nous en remettons, pour l'hiver, à ce qu'un art, éminemment français, sait mettre en flacons.

En France, nous n'aimons pas répandre sur nous, vaporiser dans nos appartements les violences olfactives. Les essences orientales nous écœurent, et les extraits américains nous choquent. C'est affaire d'équilibre sensoriel. Notre gastronomie célèbre se garde d'exagérer ; la grande couture répudie les orgies colorées. La moindre fillette de Paris tend au vent son petit nez susceptible, capte, nomme le parfum, trop cher pour qu'elle puisse l'acheter, mais qu'elle connaît et reconnaît au vol. A la fortune d'une essence en vogue il ne faut pas seulement une clientèle de femmes fortunées, mais encore l'approbation populaire, l'assentiment d'une civilisation très vieille qui exerce, sur toutes choses de son ressort, la forme critique de l'esprit. L'inventeur de parfums se fie aux foules féminines, à leur autorité innée. Je m'honore de faire partie de ces foules qui décident qu'un parfum est brun ou blond, nocturne ou solaire, digne de ruisseler sur les marches sévères d'un temple, ou d'être l'encens offert à un jardin secret.

Parfum, conquête du plus subtil de nos sens, délateur, car tu révèles nos secrètes préférences, parfum qui rouvres, dans l'infidèle mémoire humaine, la source des larmes, le secret du plaisir...

La maîtrise, dans l'art de distiller les essences, appartient au parfumeur français. Est-ce à dire que son goût est exempt d'erreur ? Certes non. Il semble qu'on le voie trébucher pendant des époques qui précèdent de grands troubles, où les suivent. Entre 1900 et 1935, au mépris du doux corylopsis et de la « maréchale », régnèrent brutalement des parfums qui s'en prenaient à la pharmacopée, et mariaient des incompatibles. En matière de parfums, il n'est guère de fantaisie qui vaille. Tout parfum qui ne se réclame pas d'une origine végétale ne peut compter que sur un caprice bref de la mode. C'est le sort qui échut aux senteurs que j'appelle les parfums à tuer un bœuf. Les femmes emportaient dans leur sillage, au restaurant et au théâtre, des fragrances capables de couper l'appétit et d'ôter à l'écran ou à la scène tout intérêt. Elles y mirent une avidité aveugle, un mépris du bon sens bien déplorable, la blonde se mouillant de sombres et compactes essences de bazar marocain, la brune acidifiée de quelque variation à fond de citronnelle, comme si la citronnelle dût jamais quitter la gloire, modeste et honorable, d'être, à l'instar des lavandes, la fraîcheur d'une chambre d'enfant, l'hygiénique senteur d'une salle de gymnastique, le sachet des armoires à linge ! Le rôle de certains odoriférants ne franchit pas le seuil de l'intimité féminine. Me voilà tout de suite intransigeante et péremptoire, comme chaque fois que je mets en cause mon odorat de limier. Lavande, verveine, mélisse, basilic, si vous entreprenez de dépasser le jardin où j'aime tant vous froisser dans mes paumes, votre place n'est pourtant pas dans le gynécée. Parfums chastes, amis du plein air et des vestibules, coquetterie permise aux anciennes jeunes filles, vous qu'elles suspendaient à leurs rideaux de mousseline, je vous rends justice ; mais quelle femme aujourd'hui s'avise de choisir un parfum parce qu'il est chaste ?

Je vous assigne votre emploi, vos heures et vos limites. Vous vous glisserez dans la maison sur les pas de la fièvre et des mauvaises sueurs, vous combattrez ce qui humilie le pauvre corps humain, et d'un front moite vous chasserez les mauvais songes. Je vous fais le procès bref, et la part assez belle.

C'est que nous souffrons, nous autres nez fins. Nous sommes trop sensibles pour ne pas nous rallier à une famille assez restreinte de parfums typiques, classiques, éternels comme la fleur, inspirés d'elle, et qui ne s'en écartent, par lyrisme pur, que pour revenir à elle.

La main du chimiste parfumeur, l'odorat de la femme n'auront jamais, celle-là trop de science, celui-ci trop de connaissance de soi pour capter, doser, fixer à son point de perfection, élire et garder ce compagnon immatériel : un parfum. Ces lignes ne sont pas destinées aux femmes qui à brûle-pourpoint vous mettent sous les narines une écharpe, un mouchoir, un gant : « Comment trouvez-vous mon *nouveau* parfum ? » Encore heureux si elles ne quêtent pas votre suffrage à une table de restaurant, au-dessus d'un homard grillé, d'un melon ou d'un camembert ! Je vous souhaite, Madame qui me lisez, de ne jamais avoir, après une recherche couronnée de succès, un « nouveau » parfum. J'espère que vous êtes capable d'une sorte assez grave d'abnégation : la fidélité au parfum bien choisi, lié à votre personne morale comme à votre séduction physique, celui que vos amis aiment et reconnaissent, celui qui surprend et fait rêver les inconnus : « Qui est-ce qui sent si bon ? » Je pense que vous avez choisi, pour sa ténacité comme pour son mystère, un de ces parfums que j'appelle « blancs » pour ce qu'ils ressortissent au jasmin, au gardénia, au pittosporum, au délicieux bouvardia et au tabac blanc, toutes fleurs sans tache, longtemps rebelles à la distillation. Leur corolle pulpeuse dilate son arome entre le crépuscule du soir et celui du matin. On croirait que pendant le jour elles se reposent d'embaumer.

Ainsi fait le lys sauvage qui perce le sable salé des rivages, ainsi fait la sublime tubéreuse, qui s'éveille à la fin de l'après-midi, étire ses pétales de cire, parfois touchés de rose, et soupire : « Il est six heures. » Son âme se met en marche, et sur sa force odorante nous mesurons l'état de l'atmosphère. Un ciel bas et brumeux l'exalte, une pluie fine lui donne des ailes. En Provence, quand l'approche d'un orage pesait sur le début de la nuit et retardait mon sommeil, je l'attendais, elle, la tubéreuse. J'étais sûre qu'elle viendrait. Elle s'embarquait sur le sirocco, traversait la route, forçait ma porte de toute sa puissance de fleur, et mollement montait l'escalier...

A Paris, je dors sous sa garde ; d'une seule hampe fleurie naît et se dilate une nuée de songes, un repos sans dangers.

De tout temps l'on voulut mettre en flacons ses vertus, son extraordinaire pouvoir d'expansion. La tâche n'était pas mince. Car le chaud et variable épiderme humain, trop riche en effluves, fait chanceler, dénature l'équilibre du parfum.

La pure sensualité du jasmin et de son proche le bouvardia, la double odeur du gardénia, l'intégrité du tabac blanc dépendent de qui les porte. Connais-toi toi-même, ô femme éprise, un peu follement, de trop de parfums et qui les visites l'un après l'autre comme une abeille enivrée. Sache ce que devient à ton contact la goutte précieuse dont tu humectes le lobe de ton oreille, le vallon d'ombre entre tes seins. Essaie ; consulte surtout le regard, le froncement de narines de celui à qui tu ne refuses rien, — rien sauf le nom de ton parfum, mais ne te trompe que le moins possible, et ne traite pas légèrement cette grave affaire de la bonne senteur. Selon l'accord que tu réussiras entre ton corps changeant, vivant, chaud, indiscret, et ton parfum immobile, tu détiens en flacon le bonheur de deux personnes... au moins.

★

Je ne me sentais pas fort à l'aise, dans ce tramway qui mène à Ivry. En face de moi, un brave homme berçait sur ses genoux quelques poissons de rivière qu'il avait sans doute pêchés, et qui se souvenaient trop de leurs vases natales. A ma droite, mon voisin balançait, comme une cassolette, un joli quart de roquefort, dont l'arome ne s'embarrassait guère d'une double enveloppe de papier. A ma gauche, un gaillard sportif, sortant de courir quelque épreuve, épongeait encore sa tête tondue, et fumait comme un cheval de haquet, fleurant le poil mouillé et la laine chaude. L'homme au fromage descendit le premier, accompagné de mes vœux muets. Les poissons tinrent bon, si j'ose écrire, et la tiédeur de la voiture exaltait leur musc fade de fretin d'eau douce, comme l'humaine et forte odeur de l' « espoir » assoupi à ma gauche. Enfin ils s'égrenèrent en cours de route, et le dernier donna sa place, en face de moi, à un homme, bien vêtu, qui venait de monter. O récompense ! Un parfum suave, confus, floral, s'exhalait de celui-ci, tellement que je souris d'aise malgré moi, avec ce mouvement répété du nez et du menton en l'air par où nous imitons — mal, — le chien.

— Oui, Madame, répondit à mon geste le nouveau venu. Oui, Madame, c'est moi. C'est moi qui sens comme ça.

— Dieu en soit loué, Monsieur ! Je renais... Songez donc, Monsieur, que je quitte le voyageur au fromage, le voyageur aux poissons et l'homme qui a chaud...

L'homme parfumé secoua la tête.

— Je les connais, Madame. Ils sont légion. Ceux-là justement m'ont voué une aversion singulière. A leurs yeux je suis ce monstre, ce perverti, ce névrosé : un homme qui sent bon. La bouffée délicieuse que j'exhale, ils la hument d'abord avec délices, cherchant autour d'eux la femme embaumée. Ils s'aperçoivent que c'est moi qui sens bon, et me dédient alors un regard offensé, un haussement d'épaules, parfois ils s'écartent de moi avec affectation... Est-ce ma faute si, quand j'emprunte parfois le tramway à défaut d'auto, j'emporte avec moi mes subtils compagnons, les parfums ?

— Si je comprends bien, Monsieur, vous êtes...

— Ingénieur chimiste, Madame, pour vous servir, pour servir toutes les femmes. Admettez que je m'appelle tour à tour Moda, Vierge folle, Malines, Musardises...

— Abrégez, Monsieur, et dites votre nom le plus bref : Gabilla. Nous sommes de vieilles connaissances. C'est vous qui vous embusquez à un coin de la rue Edouard VII, avec tout un attirail étincelant d'obus de cristal, prêts à volatiliser, sous notre nez, leur contenu délectable. Pourquoi m'avez-vous gâté d'un mot, cette fragrante rencontre ? Chimiste, chimiste... Je tiens à mes illusions, Monsieur. Quand je respire un parfum vanillé, je veux croire bonnement que vous y mettez de la vanille ; j'espère que la violette sent la violette ; il me semble que l'odeur de la tubéreuse coule des calices étroits, intarissables, et non d'un sale petit résidu minéral... Chimiste ? On le sait, allez, on ne le sait que trop, que vos parterres ont le goudron pour rosée sur des bourgeons d'anthracite...

— ... Et que toutes les essences sont maintenant extraites de la houille, n'est-ce pas ? Je vous laisse blasphémer, Madame. Vous m'avez accordé que je sentais bon ; mon labeur « chimique » ne va donc pas sans récompense. Une politesse en vaut une autre : vous portez avec vous — et je m'y connais — un parfum excellent. C'est... attendez, c'est...

— C'est mon mélange, Monsieur.

L'homme embaumé rit ironiquement.

— Mais naturellement ! Et qu'appelez-vous votre mélange ? Deux, trois alcoolats, réunis par le hasard ou combinés avec une minutieuse ignorance, n'est-ce pas ? Avant d'être vôtres, avant même que vous les mêliez, ils étaient déjà *mon* mélange, à moi chimiste. Vous êtes-vous jamais occupée de savoir où nous les prenions, nous autres pauvres nécromants sans baguette et sans bonnet pointu ? Pour entendre sortir de votre bouche, quand Gabilla, ou quelque autre prospecteur d'un domaine encore riche de surprises et d'inconnu, vous tend un flacon ouvert, pour entendre une exclamation de plaisir, avez-vous jamais cherché les sources lointaines et nombreuses d'un plaisir qui vous semble si simple ?

— Seriez-vous poète, Monsieur le chimiste ?

— Je ne puis m'en dispenser, Madame. Si nous sommes dignes du métier que nous exerçons, il nous faut, du poète, les sens délicats, et l'imagination presque inépuisable. Qu'est-ce donc que la parfumerie, sinon la poésie de l'hygiène ? Quoi, nous luttons contre tout ce qui est infect, nous prétendons jeter, sur le triste relent humain, sur le graillon et le rance des logis étroits, sur le moisi des armoires et le sûri des vêtements trop portés, un voile suave qui retient dans ses plis le souvenir de la forêt mouillée, du jardin à midi, de l'encens des mosquées... Quoi, vous doutez qu'il faille être peu ou prou, poète, pour consacrer sa vie à dérober aux fleurs leur âme ?...

J'osais sourire, d'un sourire plein de doute :

— Aux fleurs, aux fleurs... Si ce n'était qu'aux fleurs...

L'homme embaumé m'arrêta avec chaleur :

— Croyez-vous donc, Madame, que les champs de roses, les jasmins disciplinés à l'entour de Grasse, les orangers, les lavandes et les violettes, soient un vain décor ? Loin de les dédaigner, l'art moderne du chimiste en parfums appelle à lui le pétale, la feuille au suc énergique, la racine odoriférante. C'est la gouttelette végétale, sang noble et ancien, qui galvanise, affine le roturier jeune et perfectible qu'est le « parfum synthétique ». Beau mariage, Madame ! Elle le poétise, — il l'enchaîne. Sans lui, l'âme végétale, instable, vagabonde, se disperse ; — sans elle, il reste épais, brutal... C'est lui, embouteillé et vendu par des maladroits sans scrupule, que vous rencontrez trop souvent au théâtre, au dancing ou au restaurant, lui malotru et anguleux, ou bien douceâtre à donner la nausée. Il affiche sa généalogie de rhodols et de rhodinols, de vanilline, d'ionone, de jacinthe artificielle, confrontés si rudement, et pour un si pharmaceutique résultat, qu'on est prêt à nier, qu'on nie leurs bases pourtant végétales et simples — girofle, liquidambar, styrax, citron et citronnelles...

— « Liquidambar, styrax, citrons et citronnelles... » répétai-je. Est-ce le premier vers d'une *Ode Gabilline,* Monsieur, que cet alexandrin ?

— J'y songe, Madame. J'y pourrai chanter les parfums que la femme d'aujourd'hui mérite...

— Et l'homme, Monsieur ! Je vous promets, si vous n'oubliez point l'homme, la gratitude de toute les femmes !

— Je n'aurai garde, Madame. Nous voici à

Ivry et je regagne l'antre d'où les génies captifs dans la rose, la larme solide du benjoin, la fibre effilochée du vétiver, s'élancent vers la rue Edouard VII...

— Je gage, Monsieur, qu'il manque à votre antre quelque chose ?

— Rien n'y manque, Madame !

— Monsieur, j'ai apprécié en vous le poète. Souffrez qu'en vous quittant je montre le pédantisme d'un bas-bleu, et gardez en souvenir de moi, pour l'écrire au fronton de votre laboratoire, cette phrase de Jean-Jacques : « Les secrets, les doux parfums d'un cabinet de toilette ne sont pas un piège si faible qu'on pense... »

L'ENVERS DU CINÉMA

DEHORS, c'est le printemps romain : azur sans vigueur où fauche l'aile des martinets, nuages émus à peine par un sirocco faible, et des roses parmi les jardins, des lilas, des acacias, des épines blanches, des glycines qu'une seule journée de chaleur décolore, et qui échangent par-dessus la vià Nomentana leur parfum de beignets vanillés et de fleur d'orange.

Dedans, sous les vitres du hall sans murailles, c'est déjà, et jusqu'aux vents frais de septembre, la fournaise. L'air séché offense la gorge et les bronches, « mais », comme l'affirme un pensionnaire de la Société cinématographique en montrant le thermomètre, « il est bien rare que ça dépasse cinquante-cinq degrés ».

Le canon de midi a tonné sur Rome. L'odeur de l'huile chaude et du poisson frit, venue de la maisonnette des concierges, a traversé le théâtre de verre, avec le grésillement des oignons. Quelques minutes après, l'air fleura le café et les oranges écorcées. Midi et demi, — une heure, — deux heures, — et nul souple acteur italien, nulle figurante aux vastes yeux, ne s'est élancée vers le vestiaire d'abord, vers la *trattoria* ensuite : ce monde, borné par des parois transparentes, régi par la course de l'astre et celle du nuage, a rompu avec les coutumes millénaires.

La vedette déjeunera vers quatre heures ; plus heureux, le petit rôle dépêche à la dérobée une *frittata* entre deux tranches de pain national, bis et compact. J'ai faim. A cinq cents mètres d'ici je trouverais un fiacre, cheval sans âge, cocher vermoulu et plein de ténébreux mauvais vouloir... Ce n'est pas mon travail qui me retient ici, c'est celui des autres. Moi, je suis seulement ce témoin, cet indiscret, cet oisif : l'auteur du scénario qu'on est en train de « tourner ». N'importe, je reste. J'assiste au spectacle cent fois vu et cent fois nouveau. Le programme de la journée comportant plus d'une attraction : pugilat entre deux rivaux, dans un décor de music-hall miséreux, scène des lettres surprises, décor des adieux... Pour l'instant, la pause se prolonge et les meilleurs courages chavirent. Une matrone blanche et blonde, énorme, engagée à tant le kilo pour jouer le rôle de la Femme-Canon, halète dans son justaucorps de paillettes et l'on pense à l'agonie étincelante de quelque poisson des mers lointaines... (1).

Stoïque, pantalonné de gris perle, le jeune premier reste debout. Il a insinué entre son col et son menton un mouchoir plié, et s'évente avec un journal. Il ne parle pas, il ne se plaint pas, tout son visage taurin de beau garçon du peuple n'exprime qu'une seule pensée : « Que je succombe debout et suffoqué, mais que demeure, jusqu'après moi, le pli du pantalon gris-perle, pli rigide qui tout à l'heure fléchira, une seule fois, pour l'agenouillement devant cette éblouissante jeune femme... »

Eblouissante, en effet. Il n'y a rien de plus blanc que son blanc visage poudré, sinon ses bras nus, son cou sans colliers, sinon le blanc de ses yeux. Chaque fois que je regarde ses yeux, ma mémoire me souffle cette phrase de Charles-Louis Philippe : « Elle avait des yeux d'une grande étendue... » Noirs ses cheveux et noirs ses cils, sa sombre bouche entrouverte sur des dents blanches — elle est toute pareille déjà à son image cinématographique, et les professionnels d'Italie et de France vous feront d'elle ce compliment sans réplique : « Une plus photogénique qu'elle, il n'y en a pas ! »

Cette jeune beauté aguerrie défie la lumière

(1) On tournait, à Rome, une première version, muette, de *La Vagabonde,* en 1917.

écrasante. Elle s'est fait — à quel dur entraînement ! — des paupières qui ne clignent point, un front insensible, et je larmoie rien qu'à la voir lever, contre les rayons de midi, son regard de statue... Elle n'a qu'un peu de sueur au bord de ses cheveux ondés, et parfois, sans qu'un trait de son visage vacille, une larme ronde, fruit douloureux de l'œil blessé et de la paupière tendue, quitte ses cils et roule sur sa joue.

Cette jeune femme, la vedette, cuit sous le toit de verre depuis neuf heures du matin. Hier, elle a changé onze fois de toilette, de bas, de souliers, de chapeau, de coiffure. Le jour d'avant elle grelottait, demie-nue dans des jardins, sous des lilas dégouttants de pluie. Demain, une automobile l'emportera, à sept heures, vers les montagnes encore neigeuses, quarante kilomètres pour aller, quarante pour revenir, pas d'auberge. En décembre dernier, elle est entrée, par trois degrés au-dessous de zéro, dans la mer et y a nagé. Un film policier l'a jetée sous un train, d'où elle sortit noire, un peu brûlée d'escarbilles, l'a assise sur l'aile d'une automobile en marche...

Etrange destin qui donne à rêver. Labeur grevé d'austérité, privé de la récompense qui galvanise chaque soir la fatigue au théâtre : l'applaudissement, le chaud contact du public, le réconfort des regards et des convoitises... N'est-ce donc que l'appât du gain, qui soutient le grand premier rôle, homme ou femme, du cinéma, et le conduit à des risques quotidiens ? Je ne puis le croire...

« Rrrrrrrrrrrr... » Le ronronnement continu de l'appareil enregistreur m'avertit qu'on reprend le travail. Trente-huit degrés au thermomètre, — mais je sais, au balancement des grappes de glycines contre le mur incendié, au vol brusque des pétales de roses, que le « ponentino », le vent du ponant, s'est levé, ouvrant son aile fraîche sur la ville, présageant la chute du jour et la clémente nuit romaine...

— *Andiamo!* crie le metteur en scène, et il ajoute un : « Allons-y ! » compris de tous, car, — rougissons-en ! — les directeurs de la X... parlent un français rapide et aisé, et son metteur en scène, et ses artistes ; la Femme-Canon roucoule en français comme une grosse pigeonne, et le petit figurant en frac que je prie — dans quel baragouin ! — d'animer un peu sa chanson mimée, me répond :

— Jé pé pa faire plous de yestes, ye souis romancier.

— ... ?

— Jé chante qué la romance, au café-concert. Un romancier y fé pas de yestes.

On tourne. On tourne des « petits bouts », des « passages », ces allées et venues, ces vues de portes ouvertes et refermées, de couloirs, qui, posées comme des points de suture ingénieux, entre les scènes d'importance, donneront au spectateur l'illusion de la vérité, de la vie, de l'ubiquité...

La belle jeune femme noire et blanche évolue dans la lumière magnifique de trois heures, selon les indications du metteur en scène :

— Vous entrez ici, vous sortez là, après vous être arrêtée un moment avec inquiétude pour écouter si votre mari vous suit.

Elle l'écoute, réfléchit, et pose cette question sibylline :

— Combien ?

— Trois mètres, trois mètres cinquante.

Dialogue hermétique, où les initiés peuvent apprendre que ce « passage », doit être joué sans lenteur, pour être enregistré sur une longueur maximum de trois mètres cinquante de pellicule. Cet argot du cinématographe, on le parle à Paris comme ici, et j'oublierais souvent le lieu où nous sommes, les frontières lointaines, si la langueur de l'air ne me les rappelait, et aussi la tranquillité singulière d'un travail qui chez nous n'évite pas la nervosité, la petite crise de pleurs. « Ici », écrivait Renan, « le rythme de la vie est plus lent d'un degré... » Un peu trop de sérénité assoupit la passion du grand amoureux, et je renonce à comprendre pourquoi nous reprochions leur excès de mouvement et d'expression aux interprètes italiens ! Qu'ils sont doux, tous, même celui-là, titulaire d'un rôle de comique acerbe, oui, celui-là, qui livre à l'opérateur en ce moment sa figure rusée, froncée d'un rire intérieur, et son regard étouffé sous une paupière en abat-son...

— *Presto, presto,* Ecce Homo !

Ecce Homo ? Mais oui, c'est lui. C'est l'homme, — l'homme qui a joué *Christus,* et qui n'en garde pas plus d'orgueil qu'il ne faut. Mais sa femme, auprès de qui je loue ce dieu bon enfant, rayonne de fierté :

— Croyez-vous qu'il était beau dans le Christ ? Croyez-vous qu'il faisait bien en croix ? Cette chance qu'ils ont eue de le trouver, lui qui a justement le diaphragme abaissé ! Pas vrai, Sa Sainteté ?

L'irrévérencieuse blonde qui parle ainsi, — sans aucun accent — interpelle au passage un somptueux valet de pied, chargé d'ans et de dorure, qui porte un plat où les fenouils, habilement ciselés, figurent les côtes d'agneau et les pommes soufflées. Il détourne vers nous une admirable figure italienne, longue, embellie de rides nobles, couronnée d'argent...

— Sa Sainteté, venez que je vous présente... C'est lui qui faisait le Pape dans le film, vous savez, le film qui était si bien truqué que tout le monde a cru qu'on avait filmé le vrai pape... Il a soixante-dix-huit ans.

Sa Sainteté sourit, équilibre son plateau sur la main gauche tremblante, et, la dextre levée, nous octroie sans s'arrêter la bénédiction pontificale...

Quittons ces jeunes profanes : la jeune femme si photogénique va « tourner » une scène capitale de mon scénario, pour laquelle on n'a requis d'ailleurs ni mon avis ni mes conseils, sans quoi j'aurais donné à entendre, à grand renfort de périphrases diplomatiques, que le pyjama pour dame, fût-il accompagné par un diadème hindou, sied mieux au vaudeville qu'au drame.

La série des rites se déroule parmi la transpiration générale. On recule, dans un décor de loge d'artiste, le miroir à trois faces, puis on l'avance, puis on le supprime, puis on le rapporte ; la table-coiffeuse valse d'une paroi à l'autre. Une vieille malle de tournée, mérite le premier plan, jusqu'au moment où le metteur en scène s'avise qu'elle porte, bien lisibles, sur une vingtaine d'étiquettes d'hôtels, les noms : « Dresden, München », etc... Exil, à coups de pied, de la malle. Cavalier seul de cet animal étrange, caparaçonné de noir et marchant sur six pieds, que forment l'appareil et l'opérateur. Geignements d'une partie de l'animal. Répartition, en groupe immobile, de la jeune femme photogénique, d'un gentleman frêle, d'un autre gentleman robuste, de la Femme-Canon, — on l'entend respirer du bout du hall ! — d'un pierrot blanc, d'une gommeuse-excentrique — seize ans, la plus suave figure virginale, — et d'un paysan calabrais. Cri :

— *Gira !*

Et ronron de l'appareil : tout le groupe s'anime

sans bruit : — le gentleman frêle tient par les poignets la jeune femme en pyjama, et mâchonne de sourdes injures. Elle se débat, tord ses poignets minces, ouvre la bouche pour un grand gémissement qu'en n'entend presque pas, se dégage d'un effort et chuchote dans le visage de son tourmenteur, avec le masque d'une femme hurlante : « Je vous défends... je vous défends de me traiter ainsi... Lâche... misérable... »

Le gentleman robuste ne dit rien, — il se contient et étreint sa canne. Toute sa jambe gauche songe au pli du pantalon gris-perle... Les autres acteurs, au fond, murmurent et s'émeuvent sur place comme un rideau d'arbres atteint par un coup de vent... Cri :

— *Basta !*

Et l'expression collective du groupe tombe ; les épaules s'aveulissent, les regards perdent leur flamme passagère, les jarrets plient...

— *Basta per oggi ! È finito !*

È finito ! Pourtant, parmi les cris d'enfantine joie des libérés, le metteur en scène retient encore la jeune femme photogénique, qui écoute le programme du lendemain :

— Demain, mon petit, on tourne à Nemi, départ à huit heures en auto. Emportez le costume de la fuite, la robe du jardin, la toilette du soir avec manteau, tous les accessoires, n'oubliez rien, hé ? Ce n'est pas à côté, Nemi...

Elle l'écoute avec une soumission sans espoir,

fait « oui, oui » de la tête, et récite tout bas une litanie de ses bagages :

— La robe rose, les bas gris, les souliers de daim, la robe de tulle noir, le manteau violet, les gants blancs, le diadème, le kimono, les mules fourrées, le tailleur bleu...

Et comme si elle eût, jusqu'à cette minute, par un effort nerveux, commandé à la nature, elle se met tout soudain, à transpirer sans contrainte, et s'en va vers sa loge en psalmodiant :

— Le manteau violet, le tailleur bleu, les mules fourrées, le diadème, les bas gris...

En suivant de l'œil cette mince silhouette, ce corps tout à l'heure cabré, à présent mou et ballant dans le pyjama de soie, je me demande une fois de plus : « L'appât du gain, du succès sur toile, la coquetterie du risque quotidien, peuvent-ils suffire à entraîner une jeune femme, des années durant, à cette existence ? Il y a l'amour du métier, je sais bien, et aussi l'esprit de rivalité, oui. Mais quoi encore ? »

Un bout de dialogue, entre deux jeunes actrices de *cinéma,* me revient :

— Ça ne vaut pas le théâtre, et on s'éreinte, disait l'une.

— Ça se peut, répondit l'autre. Seulement, au *ciné* on se voit...

Peut-être faut-il chercher un peu de ce narcissisme délicat dans la manière de penser, de dire familière à certaines étoiles du cinématographe.

L'une des plus notoires vedettes italiennes, et des plus belles, se critique, se maudit ou s'admire, sur l'écran, comme s'il s'agissait d'une autre personne, avec une sorte de candeur hallucinée :

— Vous avez vu la *Piccola fonte?* me disait-elle ? Vous trouvez que c'est bien ? Dans le jardin, quand *elle* se traîne contre le mur et la porte, *elle* a des attitudes, des gestes de bras qui sont beaux...

N'y aurait-il pas chez celles qui consacrent à l'écran leurs jeunes forces, la fleur périssable de leur visage, une sorte de fanatisme amoureux, qu'elles vouent à ces « doubles » mystérieux, noirs et blancs, détachés d'elles-mêmes par le miracle cinématographique, libres à jamais, complets, surprenants, plus pleins de vie qu'elles-mêmes, et qu'elles contemplent en créatrices humbles parfois ravies, souvent étonnées, toujours un peu irresponsables ?

Plus je les regarde, cloîtrés dans leur travail, plus je les estime, les acteurs de cinéma. Depuis deux mois, je les ai vus souvent, — pas assez souvent à mon gré. J'en suis encore à me demander où ils puisent leur énergie. Le mot amer de l'un d'entre eux ne me renseigne pas, car il respire un orgueil à rebours, une grincheuse modestie.

Fatiguée, j'abandonnais le studio et l'une de ces journées interminables de travail qui commencent à l'aube sous de faux soleils, ignorent les heures des repas, méprisent les limites de la résistance humaine, et souvent ne finissent — les théâtres réclamant à huit heures leurs pensionnaires — que pour recommencer parfois après minuit... Et je confiais à X..., acteur de théâtre et de cinéma, les sentiments divers que m'inspiraient, pour les comédiens de l'écran, ma propre lassitude et leur courage : « Bah ! me dit-il, on n'est jamais fourbu quand on est bien payé. »

Il crânait, sous son maquillage refait deux fois depuis douze heures, et posait pour l'âpre commerçant. Mais je ne suis pas dupe. Pour dépasser de beaucoup les honoraires consentis par le théâtre, les profits du cinéma ne justifient pas tous les héroïsmes. Je ne fais que commencer d'étudier, en me rapprochant sur le tard du cinéma, ce que peut être une vocation cinématographique, son essence véritable, son but et sa récompense, lorsque celle-ci et celui-là se séparent de la rapacité.

Car il y aura toujours, pour les gens de ma génération, autour du cinéma, une sorte d'aura, défensive, malaisément pénétrable. Ma fille, à vingt et un ans, est déjà un metteur en scène, fervent, impatient de montrer ce qu'il peut faire. Elle ronge son frein d' « assistant », et témoigne de l'humilité. Depuis quatre ans, elle est *à l'intérieur* du cinéma. Un si long noviciat lui retire la compréhension de mes étonnements. Elle partage le sort, et l'impassibilité des comédiens et des figurants de l'écran, comme eux se repose debout, et comme eux se tait longuement puisqu'un seul homme a le droit de tempêter.

Elle est capable de discourir subtilement sur les plaies, l'infantilisme, les magnificences du cinéma ; mais elle ne m'éclairera pas sur la cause profonde, la cause sentimentale d'une si merveilleuse égalité devant le travail et le silence...

Un jour de la plus froide semaine de février j'étais aux studios de Billancourt (1), où cinquante jeunes femmes demi-nues tournaient des scènes de music-hall. Depuis sept heures consécutives, abritées sous le solide maquillage spécial, elles subissaient les températures extrêmes d'une cour couverte de toile, glacée par le vent d'est, puis brièvement surchauffée sous une catastrophe de lumières. Selon les commandements brefs de Max Ophüls, elles montaient, descendaient des degrés de bois brut sans garde-fous, couraient, évoluaient avec une grâce inépuisable. Une flèche terrible de lumière transperçait au passage les prunelles d'or de Simone Berriau, les prunelles, bleu de phosphore, de Gina Manès. Philippe Hériat, nu et chromé, claquait des dents et refu-

(1) Pour les prises de vue de *Divine,* scénario et dialogue de Colette, metteur en scène Max Ophüls.

sait le peignoir qui eût terni son maquillage métallique. Aucune figurante à jeun ne se permettait de défaillir. Sur un cri d'Ophüls : « On entend les pieds sur l'escalier ! Retirez vos chaussures ! » cinquante jeunes femmes, Simone Berriau comprise, retirèrent sans un mot leurs souliers, et coururent pieds nus sur le bois brut, parmi les serpents de caoutchouc, la limaille, les gravats et les clous.

Ce fut le même jour que les mains d'un dompteur devaient poser, sur les épaules de Simone Berriau, un python vivant, presque aussi lourd qu'un homme...

— Qu'est-ce qu'il va faire ? demandai-je un peu avant au maître du serpent.

Il leva les épaules, incertain :

— On ne peut pas savoir... Il est jeune, n'est-ce pas, et intelligent... Pas méchant, vous savez, mais il ne connaît pas cette dame... Le mieux, c'est de le laisser faire. En mettant les choses au pire, j'ai toujours sur moi...

Il montrait avec simplicité une lame épaisse, à tranchant double. Puis il prit, dans une valise, qui tiédissait sur un radiateur, trois mètres de python, s'en drapa en cache-col, et m'apprit à gratter doucement le menton de « Joseph », la gorge fine, si singulièrement mince au prix d'un corps épais, richement marbré, çà et là presque rose.

Lorsqu'il posa le redoutable acteur muet sur

les épaules de « Divine » vêtue en bayadère, elle fléchit un moment puis se redressa. Alors on l'abandonna toute seule avec « Joseph », et on les couvrit tous deux de feux impitoyables. Elle eut d'abord le serpent au niveau des hanches. Il la ceignit solidement et délégua sa tête agile vers la gorge et le cou. Il prospecta tout le buste, qu'il tâtait de sa longue langue bifide. Une sorte de sourire d'angoisse flotta sur le visage de la bayadère, entrouvrit sa bouche sur les dents éclatantes. La tête du serpent disparut derrière l'épaule, emmena le corps dans l'indicible progression ophidienne, et je pensai que l'épreuve touchait à sa fin... Mais au sommet de la coiffure orfévrée, la tête du python reparut, se dressa en fer de lance. Encore un moment, et elle descendit sur la tempe, s'arrêta au coin du sourcil, lècha la joue... Les grandes paupières de Simone Berriau s'abattirent, voilèrent ses prunelles et Ophüls permit qu'on la délivrât... Mais je crois bien qu'il était plus ému qu'elle, qui déjà secouait le mauvais charme et s'enquérait :

— Ça a marché ? Nous étions bien, Joseph et moi ?

Vocation, vocation ; — besoin de toucher les foules ; appel au jugement unanime...

LA POÉSIE QUE J'AIME [1]

(1) Conférence faite le 10 décembre 1937, à l'Université des Annales.

Je puis vous affirmer, soit à titre de renseignement, soit pour vous rassurer, que cette causerie, à aucun moment, ne s'élèvera jusqu'aux idées générales. Quel que soit l'âge d'une femme, elle n'abandonne pas la coquetterie. Or, il y a trois parures qui me vont très mal : les chapeaux empanachés, les idées générales et les boucles d'oreille. Je les fuirai donc ici comme partout. Se peut-il, d'ailleurs, que la poésie et les poètes s'accommodent d'idées générales ?

Sur la foi d'un titre, vous avez pu penser, en effet, que je parlerais de la poésie et des poètes que j'aime. Pour ceux-là, les poètes, je manque de compétence et d'outrecuidance ; pour celle-ci, la poésie, intervient une question de dissimulation profonde et obstinée, qui pourrait bien être de la pudeur. Car vous avez devant vous un individu d'une espèce extrêmement rare, une sorte de monstruosité : un prosateur qui n'a jamais écrit de vers. Un poète, à la rigueur, peut n'écrire point de vers ou, du moins, en écrire un si si petit nombre que sa réputation se fonde justement sur sa réticence, quand un minimum de texte va de pair avec un maximum de qualité. Cela s'est vu et se voit encore. Mais un écrivain en prose qui, ni pendant l'adolescence, ni pendant sa maturité, ni par abandon irrésistible, ni par gourmandise, par amour ou par douleur, ne s'est confié à la poésie versifiée, ne pensez-vous pas que c'est presque introuvable ?

J'en appelle à vous toutes, à vous tous, vous qui avez dans la mémoire ce secret, cette rose séchée, cette cicatrice, ce péché : un poème en vers !

J'en appelle à tous ceux qui ont éprouvé qu'il n'y a pas plus un âge pour être poète qu'il n'y en a pour être amoureux. Je pense à un poème qu'une petite fille inventa, lorsqu'elle était âgée de trois ans et demi. Non, ce n'était pas moi, c'était une de mes nièces. Faute de savoir écrire, elle récitait son poème avec un accent qu'elle tenait de sa gouvernante allemande. Je l'intitule *Hymne à l'Eté,* et je vous le récite, comme la petite fille elle-même le récitait, avec l'accent :

Foissi l'été, elle est bien chaute
Et le soleil prille comme une crosse hétoile,
Et la lune elle nous s'éclaire
Pendant toute la nuit.

Entendez-vous, sous les paroles naïves, entendez-vous déjà cette soumission au rythme ? N'entendez-vous pas qu'il s'agit, non d'une révélation de précoce génie, mais d'un premier chant ?

Je rapprocherai, de ce pépiement d'oisillon, ce commencement de rossignol, un mot d'amoureuse, une amoureuse qui n'avait pas encore dix ans, — c'est un peu d'elle qu'est venu mon roman : *Le Blé en Herbe*. Elle aimait « depuis toujours », disait-elle, son camarade de nursery. Elle disait, un jour, au Don Juan de neuf ans, beau et brun comme un fatal petit page :

— Nous sommes petits. Que c'est triste, d'être petits ! Il faudrait que nous ayons au moins seize ans pour être l'un à l'autre, et jamais nous n'y arriverons... Non, vois-tu, je suis découragée...

Ce mot immense et sombre : « découragée », la petite fille le disait vraiment comme une amante qui eût bu toutes les amertumes à la coupe même de l'amour.

Nous voilà, je pense, en pleine poésie. J'avais

hâte, — ma causerie s'occupant de la poésie au sein de la prose plutôt que des poètes eux-mêmes, — j'avais hâte d'affirmer que je ne suis pas ici pour me donner le ridicule de couronner des fronts qu'un privilège de lumière a déjà laurés d'or et d'épines. C'est déjà beaucoup d'irrévérence si je parle de la poésie. Aucune définition de la poésie ne me contente. Ce qui se conçoit bien ne s'énonce pas toujours clairement, ô pauvre prosateur que je suis ! J'échoue à définir ce que savent désigner des cœurs purs, des âmes livrées, parce qu'elles sont incultes, à la contemplation et à son lent enrichissement.

La petite fille d'une de mes voisines, en Provence, — les enfants se taillent déjà une bonne place dans ma causerie, mais je me garde bien de le regretter — la petite fille, donc, a pour ami un de ces hommes dont la précieuse race tend à disparaître, un vieil homme qui ne lit pas — et pour cause — les journaux, mais qui connaît le fond et la surface de la mer, les secrets de la terre, les habitudes des plantes et des bêtes et le langage des vents. Il raconte à la petite fille des histoires extraordinaires, que la petite fille répète à sa mère avec émerveillement :

— Mais, Félicien, dit un jour la mère au narrateur, elles sont vraies, les histoires que vous racontez à ma fille ?

Félicien baissa ses paupières de bois dans son visage de terre durcie et répondit :

— Non, c'est pas vrai... C'est des vers.

Heureux qui, comme Félicien, nomme du premier coup l'exaltation lyrique, le droit au mensonge noble, l'évasion permise, et donne au coup d'aile de l'imagination le nom du bel instrument qui, ensemble, bride et entraîne la poésie ! Les Féliciens savent de naissance, et par bénédiction particulière, que la poésie peut échapper au rythme, encore que le rythme soit un joug bien impérieux ! Les enfants aussi le savent, les enfants qui sont si souvent des poètes-nés.

Je vous ai confié que je n'avais jamais écrit de vers. Mais quelle vigilance il m'a fallu pour m'en empêcher ! D'autant plus que mon père, qui était de Toulon, fleurissait tout naturellement en poèmes, en rimes fastueuses, en strophes éventées par le grand souffle méridional. Comment vous dire ? Mon père faisait des vers comme... comme Victor Hugo. Il me les récitait. Il en déclamait aussi qui n'étaient pas de lui. J'ai grandi au creux du berceau énorme, du puissant vaisseau qui propage son rythme sur l'infini lyrique, — ainsi j'appelle, ainsi je vois l'alexandrin. Aux pieds de mon père, ma première enfance ramassait des hémistiches, tombés de lui comme des copeaux frisés que le rabot enlève au bois précieux. Et je les ai gardés. Et je les ai encore. Ceux qui étaient coupés en tronçons n'ont jamais trouvé leur soudure. D'autres ont perdu leur auteur, puis l'ont reconnu vingt ans après par hasard, par exemple ces deux vers d'Hugo, obsesseurs de mon jeune âge :

> Comme sur la colonne un frêle chapiteau,
> La flûte épanouie a monté sur l'alto,

Non, ça ne veut pas dire grand-chose orchestralement, ni même poétiquement. Mais cette « flûte épanouie », ah ! quel volubilis pour ma jeune imagination !

Qui peut dire comment, par quel grain miraculeux, un esprit enfantin s'ensemence de poésie ? Il s'aide du saugrenu, de l'incompréhensible, du plastique sans pensée, du scandé obtus, de ces sortes de « comptines », enfants difformes de la rime et du rythme, qu'il ressasse en secret, hors des avis de l'adulte et du jugement des gens raisonnables.

Je fus pareille à l'enfant — encore un enfant ! — qui, longtemps muette et attentive dans un train, sortit de son silence en s'écriant :

— Oh ! maman, le train sait toutes mes chansons !

Je sens encore que tout peut, sous un choc, s'effacer de ma mémoire, sauf un petit refrain martelé, qui ne veut rien dire, un petit lambeau ravissant de rythme qui chante :

J'ai du di,
J'ai du bon,
J'ai du dénédinogé.
J'ai du zon, zon, zon,
J'ai du traderidera.
J'ai du vert-t'-et-jaune,
J'ai du vi-olet,
J'ai du bleu teindu,
J'ai de l'orangé !

Au commencement de la vie, la musique et la poésie marchent du même pas. Puis elles se séparent. Le refrain-musique recule, laisse le passage et la préséance au long balancier de la poésie française, à ses douze majestueux battements. C'est ce qui m'arriva. Le poème, la découverte du poème, de sa vie quasi autonome, de la pulsation qui opprime la nôtre, retient ou accélère notre souffle, quelle date dans notre existence ! Et ce n'est encore qu'une étape. Après viennent une curiosité tardive et l'ébahissement d'apprendre que le poème comporte, traîne derrière lui ce fardeau obligatoire : son auteur.

Comment, ces vers, rencontrés sur un rayon de la bibliothèque paternelle, scellés entre des pages piquées de rousseurs, d'où monte une odeur de pomme et de souris, ces vers ne sont pas seulement l'apport d'un songe, un cristal de la neige, un parchemin qui n'appartient à personne, et il faut encore compter avec leur auteur ? Ah ! c'est dommage !... Mais voici que l'auteur porte un beau nom, et la première page nous affirme, gravée sur acier, que sur le profil aristocratique du poète retombent des cheveux blonds... C'est ainsi, mesdemoiselles, jeunes filles qui m'écoutez, c'est ainsi que, de mon temps, on recevait, en plein cœur, le choc de Musset.

Mais le jeune amour est ingrat. La date de ma naissance a voulu qu'à l'âge le plus trouble, je donnasse à Musset un étrange rival. L'âge le plus trouble, je le situe entre treize et seize ans. Ce n'est pas le suave jeune homme, ni l'athlétique cousin qu'il faut craindre pour l'écolière, ni le Prince Charmant revisé par la pratique des sports, non — c'est le chemineau. C'est le passant. C'est parfois le monstre, en tout cas l'inconnu. L'âge des enlèvements — c'est ainsi que je le nomme — est assez terrible. Où réfléchit la jeune fille de vingt ans, une fillette cède. On cherche, en ce moment même, l'inconnu avec lequel s'enfuit une enfant de quinze ans, munie pour tout bagage d'un maillot de bain rouge... Son âge est celui de l'égarement. Et qu'est-ce que l'égarement, sinon une crise de poésie effrénée, souvent insane, parfois mortelle ? J'eus la chance, à l'âge de l'égarement, de ne rencontrer Verlaine qu'imprimé. Mais je ne lui ai pas résisté longtemps ; j'ai suivi le chemineau — « son regard mûrit les enfants » — et j'ai suivi le chèvre-pieds, le vagabond qui portait une besace d'assez médiocres vers, et une couronne d'adorables poèmes. Comment ferai-je comprendre aux plus jeunes auditeurs de cette assemblée le transport que Verlaine alluma parmi les adolescents de ma génération ?

Casanova, dans ses *Mémoires,* qui ne sont pas que... frivolités, cite un propos d'un de ses amis, écrivain : « Mon livre est fini. Je n'ai plus qu'à en extirper les alexandrins. »

L'écrivain en question montrait-il un scrupule excessif ? Non, et il est peu de prosateurs qui ne le partagent. Plusieurs se soumettent sans lutte. Michelet, dans l'*Histoire de France,* s'abandonne, comme avec volupté, au joug, à la séduction du long dodécasyllabe. Pour ma part, je surveille de mon mieux l'intrusion du vers involontaire, je le traque, je le truque. Vous allez me dire que c'est une sévérité exagérée, que la phrase idéale est celle dont chaque mot est irremplaçable, qu'elle aille sur douze ou treize pieds ? Laissez-moi faire, je me connais. Si je n'exerçais sur ma prose un contrôle sans merci, je sais bien qu'au lieu d'un prosateur anxieux et appliqué, je ne serais pas autre chose qu'un mauvais poète déchaîné, et aussi heureux dans son univers métronomique, qu'un ténor dont toute la vie ne serait qu'un pur et interminable si bémol ! Je suis là. Je veille. Pas si bien, toutefois, que des délinquants ne m'échappent ! Dans de vieux romans, qui datent de ma jeunesse, il y en a, des vers involontaires, et pas camouflés. Jusqu'à trois qui se suivent, — je ne vous dirai pas où.

Dans les trop rares entretiens que j'eus, tête à tête, avec Mme de Noailles, elle me dit, une fois, qu'elle ne comprenait pas que je ne me fusse pas essayée dans le poème. Je lui répondis que je ne m'en étais jamais sentie digne. Et, à mon tour, je lui demandai si elle avait le projet (cela remonte aux quatre ou cinq dernières années de sa vie) de publier encore des ouvrages en prose. Elle repoussa, d'un geste de sa magnifique petite main, une pareille conjecture.

— Jamais ! s'écria-t-elle. Pourquoi me servirais-je d'un langage où je ne pourrais pas tout dire ?

Cet hommage rendu non seulement à la liberté du poème, à ses immunités multiples, au noble usage qu'il a le droit de faire de toutes licences, valait bien, il me semble, de vous être rapporté.

Me voici arrivée au moment le plus agréable de ma causerie, je veux dire le moment où je n'ai plus qu'à laisser parler, en prose ou en vers, quelques poètes. Je mets un peu de malice à cueillir pour vous la prose aux lèvres des poètes, et les vers sur celles du prosateur. Celui-ci, celui-là, échangent-ils leur moyen d'expression par délassement, ou pour prouver leur virtuosité, ou par coquetterie ? La sagesse est de n'y rien voir qui ressemble à une décision de principe. Et puis ça ne nous regarde pas. Et puis ils sont libres. A mon avis, le fait pour un poète de recourir à la prose n'a aucune espèce d'importance. C'est affaire de commodité, de nécessité. Ce n'est pas chez lui un événement psychologique.

Par contre, le prosateur ne saurait se révéler poète occasionnel sans faire l'aveu d'une inanition, du besoin qu'il éprouve ensemble de s'envoler et de se soumettre, d'être fastueux sans risquer le ridicule, d'abandonner ses secrets à un confident sans visage, et surtout de pleurer sans honte, d'être soi-même sans rougir. Que de cynisme dans Carco romancier ! Mais que d'aveux dans Carco poète ! Loin de moi de traiter Carco de poète occasionnel ! Sans Francis poète, il n'y aurait pas de Carco romancier qui vaille. L'innocence a besoin d'aveux plus encore que le crime, et lorsque mon très cher Francis, jeune immortel, quitte sa sombre joie, ses héroïnes décriées, ses languides ou durs jeunes hommes, il faut de toute urgence qu'il s'écrie en vers spontanés, fonciers, émus à vous ouvrir le cœur, il faut qu'il s'écrie :

« Je n'en puis plus, j'avoue ! Oui, je suis le fervent ami, l'amant des aubes pures, le bénédictin du souvenir, l'enfant tendre, le veuf de tant d'amis perdus ! Et comme, même si je n'avouais pas, ça finirait toujours par se savoir, j'ôte ma casquette et le foulard qui me donne un charme si... spécial, et je veux que tout le monde voie ma belle âme ! »

Il est triste de constater que, sous notre belle république, la poésie ne nourrit pas plus ses poètes que la Ville de Paris ses pigeons.

Du train dont va le monde, le prosateur n'aura bientôt, à la dure condition du poète, rien à envier. Rien, sauf le chant, sauf l'illusion, sauf la claire vue des dieux, sauf une vie tout entière, comme celle de Valéry, assise très haut sur la mathématique étincelante, sur les jeux du nombre que je contemple, inaccessibles...

Rendons à la France cette justice, — dont elle se passerait bien, je pense, — que tous les pays civilisés ont, plus ou moins, laissé leurs poètes mourir de misère. Cette remarque ne saurait, sous aucun prétexte, passer pour une circonstance atténuante.

Un grand poète tend presque toujours à remplir sa destinée. Je n'en connais pas qui, de désespoir, se soit jeté dans l'industrie, ou voué aux synopsis pour le cinéma. Mais je connais un grand poète qui est en train, extraordinairement, de remplir sa destinée en échappant, par fermeté d'âme, au malheur. C'est Hélène Picard, l'auteur de *L'Instant Eternel*, de *Province et Capucines*, de *Nous n'irons plus au Bois*... Quand il était question d'elle, Mme de Noailles avait une manière de dire : « Ah ! celle-là... »

Le geste, l'accent, n'étaient point d'une rivale... Ils marquaient une sorte d'étonnement et même une révérence dont la comtesse n'était pas prodigue. Elle n'avait jamais rencontré — moi non plus — un poète comme Hélène Picard, lauréate de l'Académie, qui alliât la richesse d'un solide esprit, de souche ariégeoise, à tant de grâce et de grandeur, qui unît la rêverie d'une jouvencelle de province à une charmante santé de gourmande, experte à cuisiner finement... L'étonnement de Mme de Noailles, je le partage encore. Car j'ai vu, je vois encore vivre Hélène Picard. J'ai vu qu'en descendant sur son élue, l'inspiration fait le bruit d'un oiseau et d'une abeille, puisque le poète de qui je parle pouvait fredonner et écrire des vers, écrire des vers et surveiller un incomparable café noir.

Lorsqu'une longue, une cruelle maladie s'abattit sur elle, elle connut un prodige pareil à ceux qui étaient — dit-on — réservés aux saintes. Immobile, passagèrement paralysée, elle versait des poèmes en même temps que des larmes, et tout entière ruisselait d'harmonie. Non point des vers qui payaient un tribut à la souffrance et à l'amertume, mais des poèmes limpides, imprégnés d'amour.

J'étais comme le vent incertain qui balance
Une rose narquoise à la porte d'un bal...

Voilà l'accent des vers que l'on ramassait, le matin, au pied d'un lit de malade. Des vers comme ceux-là, plus beaux que ceux-là, forment le volume intitulé *Pour un Mauvais Garçon,* que l'on ne trouve, hélas ! nulle part. Edité d'enthousiasme, en volume de luxe, par André Delpeuch, son apparition coïncida avec les embarras financiers de l'éditeur. Pour Hélène Picard, elle aussi, vous la trouverez difficilement. Bien vivante, sereine et gaie, elle est... elle est à sa place, entre le ciel qu'elle contemple, et la terre qu'elle chérit, entre des oiseaux familiers, une lampe bleue, la musique des ondes et une fleur vivace. Elle nous regarde, nous autres en bas, avec beaucoup d'amitié. Mais elle ne descend plus guère et ne sort presque jamais. Elle laisse approcher ses amis, elle leur réserve le rire charmant de ses yeux de bohémienne. Elle cache des trésors de vers inédits. Elle vit de peu, de très peu. Mais à la voir je me dis qu'elle goûte le destin accompli du poète, puisque, glorieusement poète, pauvre, seule, elle tient pour récompenses égales la poésie, la pauvreté et la solitude.

Vous venez de montrer (1), pour les textes extraits de mes romans, une indulgence qui est bien rarement le fait de la jeunesse. Vous avez rentré vos griffes et montré patte de velours,

(1) Après une lecture, par Marguerite Moreno, de « Mais où sont les enfants », extrait de la *Maison de Claudine*.

jeunes fauves que vous êtes. J'en suis touchée plus que je ne veux le dire. Mais laissez-moi finir sur un remerciement et sur une protestation. Laissez-moi vous dire que dans ces pages, que vous avez paru aimer, et dans bien d'autres, si je n'écoutais que mon scrupule, je sais bien tout ce que j'en voudrais enlever. Une des certitudes qu'acquiert l'écrivain vieillissant, — — celle-là, du moins, est sans amertume — c'est la connaissance de ce qu'il convenait de ne pas écrire...

En somme, il ne m'aura fallu que quarante-cinq ans de carrière pour m'assurer qu'on devient un grand écrivain — ainsi, d'ailleurs, qu'un grand poète — autant par ce que l'on refuse à sa plume que par ce qu'on lui accorde, et que l'honneur de l'écrivain, c'est le renoncement.

COLETTE VOUS PARLE[1]

(1) Emissions faites à la radio française, durant l'année de guerre 1939-40, les unes pour le public français, les autres destinées à un auditoire américain.

J'ai, depuis le commencement de la guerre, reçu beaucoup de lettres de femmes. Si, parmi celles qui écoutent, quelques-unes m'ont écrit, je les remercie d'une confiance qu'elles ne m'ont pas retirée. Qu'elles sachent aussi combien je regrette de ne pouvoir donner à leur embarras, à leur angoisse, la réponse qui les tirerait de peine, qui leur indiquerait la voie à suivre pour trouver du travail et aussi la détente de leur esprit tourmenté... J'ai chaque jour sujet de les plaindre, j'ai bien souvent des raisons de les admirer. La Mobilisation, les séparations qui furent ses premières conséquences, ont eu lieu dans un ordre magnifique, avec une dignité résolue que nous ne pourrons jamais oublier. Mais depuis qu'elles sont seules, bien des femmes découvrent qu'un geste héroïque est plus facile qu'une longue attente. Pourtant leurs lettres gardent cette allure réservée, cette concision, cette volontaire absence de lyrisme dont l'exode militaire a pour ainsi dire donné le ton.

Mais je n'ai jamais reçu — sauf une — de lettres émanant des femmes de la terre, nos paysannes de France. Aucune n'a tracé les mots où pourraient se lire le regret, le désarroi, l'inquiétude. Vit-on pourtant des épaules plus chargées que les leurs ? A la terrible obligation de résistance morale s'ajoute la dépense des forces physiques. Lorsque sa famille et ses compagnons de labeur, lorsque mari et frères, fils et ouvriers de la terre étaient à ses côtés, ils ôtaient à la cultivatrice, la fermière ou la propriétaire rurale, la part la plus lourde. Songez maintenant à la solitude de cette femme, songez qu'elle se mesure en ce moment à des tâches plus grandes qu'elle. Nous l'avons vue à l'œuvre pendant quatre ans de guerre, cette femme-là, nous savons ce qu'elle vaut. A vingt-cinq ans de distance elle est exactement, résolument la même. A-t-elle d'ailleurs jamais changé ? Il n'y a pas de type humain plus fidèle à ses nobles lignes que la paysanne française. Moins nombreuses qu'autrefois, malheureusement, elle reste telle que son rôle l'exige, telle que mon enfance paysanne elle-même l'a connue et préférée. De dix à quinze ans, mes compagnes de choix étaient quatre sœurs, filles d'un fermier sans grandes terres, aux abords de mon village natal. L'une, qui a juste mon âge, est encore mon amie. Quatre filles, un seul fils... ce n'était pas là le compte du père et de la mère Jollet. Aussi firent-ils de quatre filles l'usage de quatre garçons et jamais on ne vit pareilles abatteuses de besogne. Et comme la bonne humeur ne les quittait guère, vous comprendrez que je ne voulais pas, moi non plus, les quitter. L'aînée, Henriette, secondait la mère, se modelait sur cette fine campagnarde aux petites mains, dans la maison et la cuisine ; Marie la seconde gouvernait l'étable, trayait, fourchait les litières avec la fourche à trois dents, portait à chaque bras un seau de vingt litres, chargeait de fourrage les mangeoires, pétrissait et enfournait 200 livres de pain tous les quinze jours. Cette merveille d'activité trouvait le temps de m'apprendre à faire des sifflets d'herbe, des crécelles avec une demi-coque de noix, de m'enseigner les noms des oiseaux, les caractères des champignons comestibles, de tailler et coudre les gros gants pour arracher les orties, dans un tissu rugueux, indéchirable, qu'on appelait du poulangis. Mais qui sait encore ce que c'était que le poulangis ?

Jeanne Jollet la troisième faisait à toute heure n'importe quoi d'urgent, et Yvonne la dernière, mon amie, en attendant de grandir, gardait les vaches et les moutons avec moi, c'est la besogne qu'on laisse aux enfants. Encore faut-il qu'ils l'aient apprise, et aussi la langue qu'on parlait aux moutons et aux vaches dans mon pays. C'est là que j'ai appris à ramener et diriger un troupeau. Et comment se fait-on suivre des moutons ? On leur dit : « Prrr, ma guéline, prrr... » La chienne bergère, Lisette, nous la conduisions à la voix : « Ta, ta, Lisette, amène-les ! Ta... Dans l'avoine, Lisette, dans l'avoine. » Ou bien : « Dans les bettes, Lisette, dans les bettes... » Cette bête prodigieuse savait donc la différence entre l'avoine et les betteraves ? Sans doute. Vous pensez bien que ce n'est pas moi qui m'en étonnerai. Pour les vaches, il faut avoir leur confiance si on veut les bien mener, mais toutes les Jollet aimaient les bêtes. Au soir tombant, Marie Jollet se plantait au bout de la cour, et appelait : « Allons v'nez, allons v'nez, allons v'nez... mes vaches ! » Et dans un pré lointain six vaches noires et blanches se levaient et lentement rentraient seules à la ferme, en flânant un peu...

Nettes à toute heure, le pied fin dans le sabot, une petite frisure sur le front, (un peu comme se coiffe la reine-mère d'Angleterre) les filles Jollet étaient par surcroît jolies. Quelle équipe de femmes ! Mais la race n'est pas perdue. En temps de moisson je les aidais à ce qu'on appelait rouler le goûter des moissonneurs. Rouler le goûter, ça consistait, sur une table de bois blanc bien savonnée et grattée au tesson de verre, à émietter finement, sous la paume des mains, — on dit chez nous affriser le pain — la mie de deux pains rassis de douze livres débarrassés de leur croûte, et puis on immergeait cette mie, qui embaumait le seigle frais, dans quinze à vingt litres de lait. Le tout, dans deux grandes bassines, prenait le chemin des champs de blé, mais les filles Jollet n'oubliaient pas de joindre à ce goûter frais le lard tout gras, bien épais, sans l'ombre de maigre, et quelques gros cornichons blancs, confits trois jours dans le vinaigre, et une dame-jeanne de cidre dur. Le soir, en rentrant chez ma mère, je méprisais le dîner, vous pensez bien, et ma mère, Sido, me regardait soucieusement : « C'est étrange, cette enfant perd complètement l'appétit ! »

Faut-il m'excuser d'apporter à vos oreilles ces souvenirs d'un temps aussi lointain qu'heureux ? Si fort que ce temps ait changé, c'est son personnage principal, la femme de la terre, qui maintient la ressemblance entre le passé et le présent. Ce que nous nommons le progrès lui apporte une aide mécanique. Mais l'électricité n'est pas dans toutes les fermes, l'automobilisme ne délivre pas partout, il s'en faut, l'homme de son effort primitif. Le progrès avance lentement, sur la précieuse terre en France. Il s'arrête devant cette relique du passé qu'on appelle l'habitude. Le paysan français montre de l'attachement à ce qu'aimaient ses devanciers. Il garde l'outil ancien, même ankylosé dans son long service, comme il garde le haut lit de noyer où mourut son père, comme il conserve le petit fourneau incommode sur lequel sa mère et sa grand-mère cuisaient la soupe. Par nature et par tradition, la paysanne de race accorde peu de confiance et d'accueil à celle qui se fait cultivatrice par décision réfléchie. C'est pourquoi le nombre est encore petit, en France, des femmes qui choisissent de venir à la terre et d'y rester. Je me garderai bien de décourager cette minorité, intéressante entre toutes, et digne de prendre place à côté des « vraies de vrai ». Si je prends la parole pour elle, c'est que je sais combien il en coûte de faire le chemin en sens contraire, et de quitter, en renonçant à tirer de la terre l'essentiel avec le superflu, ce que l'on a le mieux aimé. Toutes les tâches sont belles que l'on accomplit avec amour. La plus grande tâche encore une fois s'ouvre pour la gardienne de la terre. Elle va souffrir, elle va peiner. Plus d'une fois elle croira qu'elle ne peut plus, que c'est trop lourd, que les vieux sont trop vieux, que les enfants sont trop jeunes... Mais un appel de chevreau nouveau-né, une longue voix de génisse, un murmure profond et égal d'abeilles, de vent, de feuillages et de rivière lui rendent chaque fois la force de reprendre le travail, et de voler fidèlement au secours du dépôt bien-aimé, qui fut remis à ses seules mains.

★

En prenant la parole pour l'autre hémisphère, il me fallut me souvenir de la différence des heures. Sur l'Amérique brille en ce moment le soir multicolore qu'un court voyage à New York me permit d'entrevoir, les lettres de feu, les flèches, les palpitantes guirlandes de la publicité, des cinémas, des magasins... Mais ici, c'est deux heures du matin, la nuit, et la guerre.

J'ai, parfois, parlé pour des auditeurs très lointains. Pourtant c'est la première fois que je prends conscience que parler au micro c'est m'adresser directement à mon semblable. Il me semble que parler aujourd'hui à l'Amérique c'est non seulement un honneur, mais un devoir. Neutre, et amie, l'Amérique, penchée sur la source des sons qui lui viennent d'Europe, peut-elle ne pas s'intéresser à la voix d'une Française qui vient dire, aux femmes américaines, comment nous sommes en octobre 1939, et qui nous sommes, comment nous luttons, nous qui ne nous mêlons pas directement à la guerre, contre tout ce qui pourrait engendrer le découragement, la tristesse et la pusillanimité ?

A force d'être un écrivain français, on découvre qu'on est devenu un vieil écrivain français. On s'avise, un peu tard, que les marques d'estime et d'intérêt qui venaient du Nouveau-Monde méritaient plus d'empressement, des répliques plus promptes et plus amicales. Une longue guerre a passé, — une autre guerre commence ; c'est en tant qu'obstinée citoyenne de Paris, en tant qu'humble spectatrice, que je cède au désir affectueux de parler d'une capitale incomparable préparée à la guerre, des conditions matérielles de notre vie, et de notre état d'esprit.

Comme en 1914, je trouve intact dans mon cœur — un cœur tout pareil à celui de milliers de parisiens, — cet égoïste amour qui, insoucieux de la prudence nous a rappelés, en plein été magnifique, d'une campagne paisible, et depuis la fin du mois d'août nous retient ici. Rien n'a prévalu, ni la menace suspendue dans le ciel, ni la perspective d'être évacués de force, ni celle de vivre incommodément. Je veux que vous sachiez que Paris n'a jamais été plus beau. Vidé, en partie, de sa population civile, il nous paraît plus grand. Il retrouve ses proportions harmonieuses de cité décongestionnée. La dimension de ses places est aisément lisible ; de très vieilles artères, qu'emplit en temps normal le trafic commercial, redeviennent des voies étroites destinées au piéton. Tel édifice ancien voit autour de lui l'espace vide qu'a souhaité autrefois l'artiste qui l'a conçu...

Dans le silence des nuits, Paris entend de nouveau les sons qu'il avait oubliés, les cloches des angelus et des premières messes tombent, avec les pigeons effeuillés, du haut de ses clochers, et avant le jour le meuglement enrhumé d'une péniche sur la Seine traverse, pour me rejoindre dans mon sommeil, la grande nappe de silence, de jardins et de colonnades que sont les jardins des Tuileries, le Louvre, le Carrousel et le jardin du Palais-Royal. Ces jardins historiques, ces palais construits par des rois, ils n'ont perdu, pendant un mois de guerre récente, comme pendant les quatre ans de l'ancienne guerre, ni une fleur de leurs parterres, ni un fleuron sculpté de leurs immortelles murailles. Leurs jardiniers veillent sur leurs parures, leurs gardiens préservent les chefs-d'œuvre auxquels le monde entier, dès que la menace se lève, songe avec sollicitude. Ces palais, ces ponts, ce fleuve, ces jardins que l'automne n'a pas défleuris encore, ce centre fastueux de Paris, je viens de les traverser, en pleine nuit.

Il est deux heures du matin, et c'est la guerre. Quelques repères bleus, quelques faibles feux ont guidé mes pas. A pareille heure, à pareille époque, on sent tout le prix d'une telle promenade. L'aurore est bien loin encore. Quand elle se lèvera, en même temps s'éveillera une population dont chaque unité ira où elle a affaire. Paris s'éveille comme certaines fleurs des tropiques, d'un seul coup. Je serais fière de vous montrer le mouvement qui succède à son sommeil. Les hommes — âgés ou très jeunes — sont nets. Le vieillard se rajeunit, l'adolescent cherche à se vieillir pour avoir l'air viril. Vivantes preuves de la santé morale et physique de Paris, les femmes qui vont à leur travail n'ont renoncé, Dieu merci, à aucune coquetterie essentielle. Puisque les chefs d'industrie rendent obligatoire le port du masque à gaz, les femmes, en une semaine, ont fait, de l'étui cylindrique, un objet de goût personnel. Il est écossais comme un petit plaid, vêtu de cuir comme une trousse de voyage, gaîné de soie à rayures comme une petite ombrelle, ou bien assorti, étoffe et couleur, au costume tailleur. Masque à la ceinture, masque à l'épaule, masque rejeté en arrière sur le dos, masque musette, masque à poches genre sac à main, tous les masques s'égaillent par les rues. Je ne jurerais pas que tous les étuis enferment leur contenu réglementaire, si j'en juge d'après le mien, dans lequel je rapporte si commodément des Halles un des derniers petits melons, une livre de raisin doré, des noix fraîches... N'approfondissons pas. Le Parisien, frondeur dans l'âme, préféra toujours sa commodité à sa sécurité. Je n'en donnerai comme preuve bien actuelle que sa mauvaise grâce à descendre dans les abris que lui désigne la défense passive, lors des deux ou trois alertes de septembre. Quand sonna l'unique alerte de jour, je pouvais voir de ma fenêtre les agents de la défense de Paris houspiller passants et passantes comme autant de chèvres rebelles.

.. ..

Cette petite chronique terre-à-terre, j'ai peur qu'elle ne vous dépeigne mal notre petite vie de civils qui ne veulent pas se séparer de leur ville bien-aimée. J'ai peur qu'elle ne vous donne que médiocrement l'idée des civils de Paris. Si je me trompe, tant mieux. Car j'ai l'impression que depuis le commencement de septembre nous nous conduisons en très braves gens. La plupart d'entre nous savent très bien ce qu'il faut ne pas faire, et même ce qu'il faut faire. Nous vivons sans bruit, nous ne sommes pas encombrants, presque toutes les femmes ont renoncé à des formes de chapeaux qui offensaient le bon sens et l'esthétique, et, hormis celles qui montrent un peu trop de zèle et perdent leur temps à vouloir l'employer utilement, je ne les ai jamais trouvées si charmantes. Elles disent déjà moins de gros mots, et peut-être que la guerre est en train de nous refaire une éducation ?... Mais surtout il est juste que je vous dise qu'une double solitude — le départ du mari, l'évacuation des enfants — a trouvé les femmes armées d'un courage éblouissant. Fermes, parfois même un peu dures, on ne les voit nulle part montrer des yeux rougis et les dehors indiscrets de la douleur.

★

31 décembre.

Mes chers auditeurs, bonne année ! C'est trop tôt ? Oui, je sais bien, mais demain je ne serai pas au micro. Et puis on m'a toujours dit que les grandes fêtes se souhaitent la veille. Et puis je ne suis en avance que de six heures. Dans sept heures, je serai au micro de Paris-Mondial, et je souhaiterai la bonne année aux Américains, par-dessus une étendue qui, si on cherche à l'imaginer, donne le vertige. Pourtant ils m'entendront, et chez eux aussi mes souhaits seront en avance de quelque six ou sept heures. Je leur dirai : « Happy new year » et il s'en trouvera bien quelques-uns pour rire de mon accent... Mais ceux à qui je souhaite, en français, la bonne, la meilleure année, l'année entre toutes les années, ils ne m'entendent pas. Ils sont, ce soir, happés par la nuit prompte, comme tous les soirs, mais je crois que pour les soldats non plus ce n'est pas un soir pareil aux autres. Comme nous ils ont conscience de vivre les dernières heures d'une année qui a vu ce que nous aurions voulu ne jamais revoir. Comme nous ils sentiront le passage de la douzième heure, celle qui porte un si beau nom sombre, riche de mystère : minuit.

« Bonne année »... Toutes les provinces de France, dans quelques heures, vont colorer ces deux mots de tous les accents régionaux. Chez nous, en Basse-Bourgogne, on dit : « La Boune an-née ! » On dit aussi, « Bonne année, bonne santé, et le paradis pard'sus le marché ! » Dans mon enfance le 1er janvier apportait aux pauvres du village un morceau de pain et un décime de bronze. « Dans mon enfance » ... Combien de fois vous ai-je déjà dit ces mots-là ? Je ne m'en excuse pas. Je vous apporte ce que j'ai de mieux : mon enfance, ma jeunesse. D'avoir été très modestes, elles restent belles à mes yeux, belles surtout d'avoir ressemblé à d'innombrables enfances modestes. Et rien ne me récompense mieux que de recevoir des lettres comme celles que j'ai reçues depuis Noël, qui me disent : « Mais c'est *mon* Noël d'autrefois que vous avez raconté dimanche ! » « Mais c'est *mon* gâteau aux raisins, *ma* silencieuse soirée ! » Ceux qui m'ont écrit cela, je ne leur dirai jamais assez merci.

Je n'ai jamais connu les avalanches de cadeaux qui s'abattent sur des têtes enfantines, au risque de les faire chavirer. Non, je n'ai jamais reçu en don l'objet d'art, la petite merveille que le donateur accompagne d'un commentaire : « Tu verras, mon petit, tu comprendras plus tard la valeur de ce que je te donne ! Ce sera pour toi, je l'espère, le début d'une intéressante collection... » Non, je n'ai pas reçu non plus — et pour cause — la perle fine qui doit être la première d'un collier, et qu'on enferme, inutile, dans son écrin. Non, grâces soient rendues au ciel, deux branches ennemies d'une même famille ne se sont pas battues par-dessus ma tête à coups de cadeaux : « Ah ! *ils* lui ont donné une poupée parlante ? Eh bien, nous lui donnerons un joueur de guitare automatique ! Ah ! ils lui ont donné un chemin de fer à signaux électriques ? Eh bien, nous allons lui envoyer un âne tout attelé ! » Aucune de ces catastrophes ne m'a atteinte. Mais une fois j'ai reçu d'une lointaine marraine un petit bracelet en argent qui avait pour fermoir un œillet. L'œillet était bien joli, et très ressemblant. Le bracelet, ma foi, je ne m'en souviens pas. Que mon ingratitude serve de leçon à des imprudents que je connais, qui viennent d'offrir à un gosse de neuf ans un de ces jouets, — désolation des parents — grand comme une cabine de bains, et construits sans doute pour des enfants princiers, une maison en diminutif, complète de la cave au grenier. Le gosse n'en revenait pas. Il contemplait, bouche ouverte, l'encombrant prodige... Enfin il éclata de joie, sauta, battit des mains. « Ah ! enfin ! s'écrièrent les donateurs, tu es content ? Si tu n'étais pas content, tu serais vraiment difficile ! Alors, ça te plaît ? — Oui, oui ! cria l'enfant. Il y a une si jolie petite chasse d'eau avec une petite chaîne dans les petits water ! »

Les « 1er janvier » d'autrefois m'apportaient, à moi, des joies bien différentes. De quelle émotion ai-je pu fêter le premier matin de l'année, l'aube bleue, une coulée de lumière rouge versée par la lampe sur la neige du jardin, le feu de fagots dansant, en bouquet de flammes aussi haut que moi, sous la hotte de la grande cheminée, dans la cuisine ! Le 1er janvier, ce n'était pas la jolie voix de ma mère qui m'éveillait, c'était le tambour. Ce seul jour de l'année, le tambour-de-ville donnait une aubade, — un peu intéressée, c'est vrai — jouait un joli air de tambour devant la porte du maire d'abord, puis sur le seuil des maisons des conseillers municipaux, puis aux portes des notables du pays. Vous pensez bien que le capitaine Colette, mon père, comptait parmi les « notables » d'un village de treize cents âmes ? Si vous en doutiez, je serais extrêmement humiliée. Ce qu'était pour moi le premier roulement lointain et ouaté du tambour, étouffé comme le battement d'un cœur, lorsqu'il m'atteignait au fond de mon sommeil, je peux encore le ressentir, mais non l'exprimer. Le cœur qui bondit, l'année qui s'ouvre, le jour qui va poindre, la gorge qui se noue sur un sanglot de poésie pure, ces larmes qu'un enfant cache à tous les yeux, ces pleurs sans chagrin que séchait sur mes joues l'air glacial de ma chambre sans feu, le claquement des sabots, dans la rue, annonçant les premiers pauvres venant pour leurs étrennes, la patte de la chatte grattant à ma porte en même temps que l'odeur de chocolat bouillant, l'accueil enchanté que me faisait la neuve année, voilà quelques-uns de mes cadeaux impérissables, et je courais joindre, en bas, ceux qui m'attendaient encore.

Cent livres de pain, c'est énorme, n'est-ce pas ? C'est beau à voir, cent livres de pain réparties en grosses miches rondes, blanches de farine sur leur croûte brune ? La pile des pains destinés aux pauvres montait presque jusqu'au plafond de la cuisine. Cent pièces de deux sous, c'est un trésor inépuisable, n'est-ce pas ? J'en avais la garde, tandis que ma mère et Mélie ma nourrice coupaient les pains en secteurs réguliers. Quel respect on avait pour le pain, dans ce temps-là ! A chaque pauvre un bon chanteau de pain tiède, une pièce de deux sous. Vous savez, dans ce temps lointain, être un « pauvre » de village, un pauvre officiel, ça équivalait presque à une profession, tout au moins à une situation bien établie. Chaque « pauvre » remerciait sans humilité, et en me tutoyant. Ils m'avaient vu naître, j'étais la camarade d'école de leurs enfants. En échangeant les souhaits je prenais rendez-vous avec eux pour l'après-midi : « Tu viens-t-y à la glissouère à t't'a l'heure ? — Voui, mais j'ons encore six maisons à faire, à'c' maman... » Quand le défilé languissait, je me retournais et je léchais la farine sur la colonne de pains ronds, derrière moi...

Et mes étrennes, à moi ? Ah ! c'est vrai, mes étrennes. Qu'est-ce que j'avais donc comme étrennes, au fait ? Un livre, douze oranges, une boîte de dattes, venues du chef-lieu... Rien — peu de choses. Ce qui comptait comme étrennes, c'était cette heure bleue, unique dans l'année, ce lever insolite, ce léger tremblement d'une angoisse incomparable. C'était le jardin accablé d'une neige neuve, chue mystérieusement pendant la nuit. C'était cette cérémonie de l'aumône et la matinée qui la suivait, une matinée merveilleusement longue, oisive et pleine.

Mais comme j'étais après tout une enfant ordinaire, c'est-à-dire bien portante, gaie, et séduite par l'instant présent, je voyais au cours de la journée s'atténuer le charme. L'image exaltée que je me faisais de l'année écoulée s'éloignant comme un vaisseau, avec sa cargaison des trois cent soixante-cinq jours condamnés, cette image pâlissait comme un songe. Quatre heures, un croissant de lune au tranchant éblouissant, la gelée mordante qui triomphait d'un faux dégel... Derrière les vitres froides nous regardions, la chatte et moi, venir le moment fatidique. La chatte étirait ses pattes dures de vagabonde, et je quittais délicatement mes sabots. La porte ouverte, nous ne faisions pas plus de bruit l'une que l'autre. Je m'évadais, mes sabots à la main, vers un concile d'enfants déchaînés, excédés de fête familiale et qui voulaient des jeux violents, des combats à coups de boules de neige, des prouesses sur la patinoire gelée, la dispute et ses gros mots paysans, la liberté, l'ombre, la bise d'Est, et leur triple griserie.

Un pareil janvier valait-il d'être évoqué devant vous ? Il n'a d'excuse que d'avoir pu, par chance, ranimer vos propres souvenirs d'enfance, mes chers auditeurs, et écarter de vous, un moment, l'idée fixe, notre idée fixe. Nous avons tous, ce soir, droit à un peu d'enfance, à un état de grâce. Je vous dis « bonne année ». Dites-moi aussi, de loin, « bonne année ». Je vous assure que je vous entendrai.

8 janvier.

De bon matin
J'ai rencontré le train
De trois grands Rois s'en allant en voyage,
De bon matin
J'ai rencontré le train
De trois grands Rois dessus le grand chemin.

Venaient d'abord
Les gardes du corps,
Tous gens armés, avec trente petits pages ;
Venaient d'abord
Les gardes du corps,
Tous gens armés dessus leur justaucorps...

N'ayez pas peur, amis d'Amérique, que j'aie quitté la parole pour le chant. Il est clair que je n'aurais rien à y gagner, — ni vous non plus. Je chante seulement le commencement de la très vieille chanson des Trois Rois, populaire dans le Midi de la France, parce qu'hier la tradition voulait que nous fêtions le jour des Rois. La fête des Rois commémore le voyage que firent, guidés dans le désert africain par une étoile prodigieuse, les trois mages orientaux Gaspar, Melchior et Balthazar. Le Christ venait de naître : les Rois vinrent chargés de présents, adorer l'Enfant-Dieu dans sa crèche de paille. Après quoi les Trois Mages, ou Rois, furent baptisés, et l'un au moins des trois devint un saint.

Nous avons donc fêté le jour des Rois, que le calendrier appelle *Epiphanie.* C'est une fête sans luxe, que la guerre n'interdit pas, puisqu'il s'agissait, cette année, comme les autres années, de manger une galette dans la pâte de laquelle on glisse une fève. Qui trouve la fève est roi ou reine, choisit sa reine ou son roi, et doit vider sa coupe (champagne ou simple vin mousseux) sans reprendre haleine, tandis que les convives s'écrient : « Le roi boit ! » ou « la reine boit ! » Je n'ai pas besoin d'ajouter qu'après la première coupe vidée, le roi, ou la reine ont souvent encore soif... Mais il n'est pas inutile que vous sachiez que la galette des Rois doit être massive, plutôt salée que sucrée, et bien fournie de beurre. Ainsi elle remplit sa mission, qui est de donner soif. J'ai le plaisir de vous annoncer que le sort m'ayant favorisée cette année, j'ai coiffé la couronne de carton doré, et vidé la coupe en l'honneur des armées alliées. Par chance la fève était un petit haricot blanc, et non pas, comme la mode s'en était établie, une de ces horribles petites poupées de porcelaine, surprise néfaste aux dents fragiles, et terreur des bridges !

Après quoi, à votre intention, j'ai ouvert un gros dictionnaire, comptant y retremper ma mémoire sujette à l'erreur, afin de documenter mon auditoire invisible sur les Trois Rois Mages, et mériter un peu de votre considération.

Mais, sur la page du dictionnaire où se tient le beau mot *Epiphanie,* j'ai buté sur le mot *Epinoche*... Il n'en fallait pas plus pour m'arrêter au passage. Ç'a été comme ça toute me vie : les rencontres envoyées par le hasard ont contrecarré mes projets les plus précis, et les plus sensés. Epinoche ! C'est le nom du plus petit des poissons d'eau douce. Aussitôt, du froid dictionnaire noir et blanc, j'ai bondi jusqu'au magnifique Atlas ancien de d'Orbigny, recueil d'histoire naturelle en couleurs, qui date du XIXe siècle, et j'ai trouvé la page où elle frétille, elle, l'épinoche, avec ses nuances de nacre irisée, elle et le nid merveilleux que sait construire, pour sa famille, l'épinoche mâle, ce petit poisson qui nidifie comme un oiseau ! Imaginez-vous qu'il travaille de sa petite bouche de poisson, qu'il cueille, tisse, tresse les herbes aquatiques les plus fines, les algues d'eau douce sous leur forme de charpie la mieux effilochée. Comment il arrive, le petit poisson effilé, à cette œuvre d'art, à ce cocon vert qu'il suspend parmi les ramilles d'une racine immergée, comment il ménage la place où sa femme pondra, c'est une si jolie histoire ! Il se sert de son propre corps, comme d'une navette, pour percer la pelote verte, il y passe et repasse, il en polit les parois, il se gonfle exprès, en mesurant la place de l'épinoche femelle gonflée d'œufs, et quand celle-ci s'y est installée, il l'aide à pondre, fidèle et attentif au bout de tunnel, montant la garde dans sa belle livrée de nacre rehaussée d'orangé, et il défend les œufs au péril de sa vie. Avouez que l'histoire intelligente, batailleuse et paternelle, ressemble à un petit conte de fées ? L'épinoche elle-même est une créature extraordinaire, puisque, à peine longue comme le petit doigt, elle est pourvue de dix épines dorsales ! L'histoire de la vie des bêtes m'éblouira, Dieu merci, jusqu'à ma mort. Le vrai moment où j'aurai cessé d'exister, ce sera celui où j'aurai cessé de faire *oh !* et *ah !* devant tout, devant l'ordinaire comme devant l'extraordinaire. Vous pensez si l'épinoche a suffi à me détourner du grand mot *Epiphanie*... mais voilà qu'en voulant quitter l'épinoche et ses portraits peints par des artistes minutieux et modestes du XIXe siècle, qui s'appelaient Oudard, Brank,

André Baron, Gerbe, qui se soucièrent de science et d'exactitude entomologiques plutôt que de ranommée, en tournant les pages du d'Orbigny frappées de papillons exotiques, de mollusques qui s'entrebâillent pour recevoir la marée des antipodes, voilà qu'en voyageant parmi des jardins océaniens, des insectes à piqûre mortelle, des serpents couleur de liane verte, des écureuils volants, des araignées géantes, capables d'étouffer un oiseau dans leurs bras poilus et de construire, comme fait la grande mygale maçonne, un nid fermé par un couvercle à charnière articulée, voilà qu'en descendant sous les mers parmi des tortues incrustées de coquillages, en faisant amitié avec la salamandre et le crapaud-bœuf, je sentais que je m'éloignais de plus en plus de l'Epiphanie. Car la puissance des images est considérable, et triomphe de celle des textes lorsque l'imagier a du génie. Je fermai donc avec courage l'un des plus beaux tomes de ces ouvrages entomologiques que je nomme mes « tapis volants », parce qu'ils me transportent de l'autre côté du monde, et je m'en retournai au dictionnaire voir ce que me dirait, sur l'Epiphanie, sur Melchior, Gaspar et Balthazar, sur leurs joyaux et leur encens, sur leur puissance inclinée devant le fils de Dieu, ce que me dirait, par exemple, le mot *Roi*. Mais pas plus que le sable du désert n'a gardé l'empreinte de leur agenouillement, le dictionnaire n'avait recueilli longuement leur histoire. Le mot *Roi* a fait une place à tous les monarques d'opéra et d'opérette, aux créations de la musique et de la littérature comme *Le Roi l'a dit, Le Roi s'amuse, Le roi d'Yvetot, Le Roi malgré lui*... Je retrouvai là les quatre *Rois* des jeux de cartes, des portraits de *rois* de France que je n'avais pas rencontrés depuis que j'ai quitté l'école primaire. Heureusement sur la même page le portrait ravissant du *roitelet* m'appelait, le « petit roi » des oiseaux de nos pays, minuscule et qui a une petite plume fièrement dressée sur sa tête. Bien mieux, sur cette même page est la reproduction photographique d'un *Roi de rats*. N'allez pas croire que le Roi de rats soit quelque rongeur de race, gras, majestueux et couronné ! Le Roi de rats est un objet fabuleux, inexplicable, et j'ai une grande sympathie pour ce que je ne comprends pas. Personne ne peut dire pourquoi on découvre, à un siècle ou deux d'intervalle, six rats noirs, desséchés, disposés en rosace et réunis au centre de la rosace par un nœud étrange et compliqué de leurs queues. Notez qu'il ne s'agit pas de monstres morts-nés, car ce sont des rats adultes. C'est une grande séduction que celle des singularités incompréhensibles. J'allais donc, flânant de rois en rois, apprenant au passage que le « roi d'été » est une espèce de poire, lorsqu'une sèche information, en quatre lignes, m'apprit enfin que la fête des Rois est un reste des saturnales antiques. Mais je m'émus davantage quand je lus qu'au moyen âge, enfants et soldats en Allemagne, promenaient le jour des Rois une étoile, au bout d'un bâton ou d'une lance... Une étoile... au bout d'une lance... Vous comprendrez, amis d'Amérique, et sans que j'ajoute un long commentaire, que je sois restée frappée d'une image qui prend en ce moment un tour prophétique. Une étoile, au bout d'une lance... Il finira bien par venir, le soir qui, comme l'ancien soir des Rois, fera soudain qu'à la pointe de toutes les armes fleurira une lumière. Une étoile, visible pour les poètes, les rêveurs, les simples d'esprit, pour tous ceux qui sont attachés à ce pain de l'âme que sont l'espoir, l'imagination féerique. Serai-je de ceux-là ? Je l'espère. Et j'espère qu'il y en a beaucoup parmi ceux qui m'écoutent.

12 mai.

Est-ce que vous saviez que la Pentecôte s'appelait la « fête des premiers fruits » il y a très, très longtemps, chez les anciens Hébreux ? En tout cas je ne le savais pas, moi. J'ai tant de plaisir à apprendre une chose que j'ignore et j'ignore tellement de choses, que je suis assurée de ne jamais manquer de ce plaisir-là. Nous célébrons donc aujourd'hui, sans fruits, la fête des premiers fruits. Pentecôte est beaucoup moins joli à l'œil et à l'oreille, et tout anguleux de son origine grecque. Pentecôte n'est un joli mot que lorsqu'il devient le nom populaire d'une orchidée sauvage, mauve, qui fleurit les prés humides. La « pentecôte » fleur, ne vous laissez pas prendre à son nom de fête chrétienne, car sa racine singulière ressemble, et souvent de très près, à une petite main humaine, pâle et difforme, enfoncée dans la terre. Aussi l'appelle-t-on encore main de mort. Il est bien rare que les noms populaires des plantes n'aient pas, chacun, leur poésie particulière. Je n'ai jamais voulu connaître, de la botanique, que son intimité rustique, et son vocabulaire le plus familier. La fleur des prés, en forme d'étoile, blanche et verte, qui s'ouvre quand le soleil est au plus haut, qui se ferme lorsqu'un nuage s'interpose entre elle et son astre bien-aimé, ne venez pas me dire que la science la nomme ornithogale. Tant qu'il y aura des enfants, des paysans, et des poètes, elle s'appellera la Dame d'onze heures. Je n'admets pas que le printemps, enfin éclos, s'exprime en grec ou en latin. Sous les pas des promeneurs qui peuvent gagner la plus proche campagne, monte et s'épanouit un peuple humble de plantes qui ont des noms aussi touchants que leurs corolles. Tous, nous aimons pouvoir mettre un nom sur un visage rencontré. Avouez qu'au lieu d'*Alchemilla vulgaris,* le nom de *Mantelet des dames* dépeint mieux une feuille veloutée, en forme de cape ? Et que vous aimez bien cueillir la *marguerite rosée,* et non la *bellis perennis ?* Et que si je chante la louange du *sarothammus scoparius,* vous n'êtes pas capables, chères femmes amoureuses des fleurs, d'y reconnaître les *genêts* jaunes, dont les enfants rapportent les premières gerbes ficelées au guidon de leurs bicyclettes ? Et qu'est-ce qui nous resterait du délicieux *muguet,* si nous le traitions de *convallaria maialis ?*

J'ai l'air de vous promener dans un jardin hérissé, jonché exprès de syllabes épineuses. Peut-être le fais-je un peu exprès, en effet. Les autres années, pour la Pentecôte, loin ou près, j'étais hors de Paris. Mais les autres années il n'y avait pas la guerre... Beaucoup d'entre vous, chères femmes qui m'écoutez, n'avaient pas souci d'écouter la T. S. F., les autres années, à cette heure-ci. Elles avaient, avec un bon compagnon, roulé, marché, pédalé toute la journée. Grisées de grand air et de mouvement, elles dînaient de bon appétit, songeaient au repos, ou projetaient une soirée digne de la journée de fête. Mais les autres années... ce n'était pas cette année-ci. Solitaires, vous n'avez pas le cœur à rire. Combien d'entre vous se sont refusé, aujourd'hui, un divertissement que pourtant j'aurais été la première, pour la bonne hygiène du cœur et du corps, à vous conseiller ? Mais vous ne voulez accepter, aujourd'hui, demain, que la solitude, et la fidélité. Vous avez, enfermées avec un souvenir et ses images, contemplé, dehors, le peu qui se découvre de votre fenêtre et, dedans, les murs, les meubles, le décor élus avec amour par l'amour. Il y a beaucoup de chances pour que cette contemplation finisse dans une sorte de satiété. La vue de votre jolie commode galbée vous donne des bâillements nerveux, et vous tournez le dos à la table-bureau qui tout d'un coup, comme ça, sans raison, vous soulève le cœur. Dégoûtée de ce qui vous plut, vous allez vous jeter sur le lit, le nez au mur, — et dans le dessin du papier de tenture vous retrouvez les mauvais petits démons qu'il enfanta pendant certains jours de fièvre et de maladie... Tout est gâté, usé, perdu. Une chambre d'hôtel serait moins maléfique. Oui, oui, j'ai connu de pareilles heures, où tout ce qui vous porta secours fermente et vous devient nausée morale. Vos lettres, chères femmes, m'en font la multiple confidence. C'est que vous passez un dur moment où la nature entière chuchote le conseil de renaître, d'étreindre, de se parer, de changer, de partir... Eh bien, n'hésitez pas, changez. Vous à qui tous les liens, y compris la gêne matérielle, imposent l'immobilité, changez, déménagez. Déménagez sans rien dépenser, partez sans bouger. Je l'ai essayé vingt fois, et jamais sans succès.

Vous qui vivez dans un intérieur dont vous

avez, seule ou aidée de votre raison de vivre, élaboré les détails, depuis combien de temps respectez-vous vos décisions désuètes ? Les deux fauteuils confortables, la petite table à tout faire qui les sépare, est-ce qu'ils n'ont pas pris racine, là où ils sont ? La bibliothèque ? La bibliothèque, je vous entends ici : « Oh ! c'est bien simple, la bibliothèque, on ne peut pas y toucher, il n'y a pas dans l'appartement d'autre panneau assez large pour elle ! » Et le lit, donc ! Vous en avez dépensé, de la logique géométrique et décorative, avant de le caser ! Et ce gentil petit arrangement du coin, le coin bien féminin, petit bureau, ou table basse à ouvrage, lampe, T. S. F., quelques livres à portée de la main... J'en ai honte pour vous, tant sa négligence étudiée est immuable depuis votre emménagement ! Et... et tout le reste !

Retroussez vos manches, Mesdames ! A vous la blouse de ménage, et fichez-moi tout ça en l'air ! La bibliothèque, d'abord ! Elle ne tient pas dans le panneau d'en face ? Mettez-la dans l'antichambre, on n'en parlera plus, et la pièce qu'elle opprimait devient, du coup, immense et aérée. Votre coin si féminin, secouez-le un peu, mettez-y le bureau qui fera sérieux, sur lequel vous écrirez à l'aise de longues lettres à M. Quelque-part-en-France. La table à ouvrage ? Oui, c'est agréable, une table à ouvrage en merisier. Amenez-la donc où nos mères et grand-mères la mettaient, en pleine lumière de la fenêtre. Et quant à la jolie commode, fourrez-la dans la chambre à coucher. Une commode, c'est un meuble intime. Là, ça va !

A moins que... Attendez, j'ai une idée. Si vous mettiez la chambre dans le salon, et inversement ? Comme ça vous auriez le soleil sur votre lit en vous éveillant. Et quant à la salle à manger... Comment, vous avez une salle à manger ? Mais c'est un luxe complètement inutile ! La meilleure pièce du logis, sacrifiée à vos repas de dix minutes ? Vous allez faire cadeau de la salle à manger à vos deux enfants. Leur table de travail, leurs jouets, leurs livres, cantonnez-moi tout ça là-dedans, et peut-être même leurs deux petits lits. Ils vivront là, ils goûteront là, ils y satisferont l'instinct de la propriété qui est très vif chez les enfans, et ils vous laisseront la paix chez vous, dans cette sorte de garçonnière de deux pièces que je suis en train d'aménager avec vous dans l'appartement conjugal.

Je vous en prie, n'attribuez à ce remue-ménage aucun caractère définitif. Essayez. Secouez la poussière, et les microbes de l'ennui et de la neurasthénie, qui s'étaient établis chez vous. Prenez chaud, tapez-vous sur les doigts avec le marteau. Couchez-vous en contemplant votre œuvre, éveillez-vous complètement perdue. Si, au bout de huit jours de villégiature dans un logis inconnu, vous voyez que ça ne se tasse pas, eh bien ! vous recommencerez. De ce cataclysme en cataclysme, vous arriverez à un arrangement idéal — provisoirement idéal bien entendu — et à la permission de l'absent. Ici, nous entrons dans l'incertain... Qu'est-ce qu'il dira, l'absent ? Il n'a guère le choix. Ou bien il criera au miracle, ou bien il va jurer et sacrer, ou bien il prendra un air méditatif et il dira : « Ce n'est pas mal, mais... mais ce n'est pas mal, mais... mais ce n'est pas encore ça... J'ai une idée, viens donc m'aider... » Alors il tombera la veste, roulera ses manches de chemise, et tout sera à recommencer, et ça, soyez tranquille, ça sera très amusant !

DERNIÈRES PAGES

DANS LES CYPRÈS

Ils m'avaient logé dans un cyprès. Non comme l'épouvantail dans un cerisier ! Mais comme mes amis sont de vrais amis, ils ont pensé que je serais mieux là qu'ailleurs, et ils ne se trompaient pas. Mieux que dans la grande pièce où les tubéreuses, au passage, vous décochent de ces sournois coups d'encensoir au choc desquels on s'exclame « oh !... » comme si le parfum pouvait être assimilé à un gros mot. Mieux que sous les cèdres bleus et les oliviers sillonnés, le soir, d'oiseaux muets.

Ils m'avaient donc logée dans un cyprès. Dès l'Avignonnais, le cyprès apparaît en remparts et colonnades, qui protègent les cultures fragiles, légumes en fleurs, et s'inclinent du nord au sud par obéissance au Maître Mistraou. Plus bas la Provence se jalonne de cyprès par géants isolés, minarets des collines, signalisation des « mas ». C'est à l'un de ces fuseaux inflexibles que mes amis m'avaient confiée.

Car, plutôt que de ménager à une porte de rez-de-chaussée et à deux fenêtres d'étage le libre jeu de leurs vanteaux, un possesseur ancien et ingénu avait planté, touchant la muraille, sous l'égide même de la muraille, un cyprès enfant, un de ces petits plumages effilés en pinceau, tendres à l'œil et déjà râpeux à la paume, dont on ne se méfie pas. Aujourd'hui il arbore, sur des architraves de racines à demi-émergées, un fût à porter une église, et son fuseau, qui dépasse le toit, offense du haut en bas la maison, la pousse et l'écorche, se frotte contre elle, comme une vache au long d'un tronc de pommier. Il griffe ma fenêtre quand je l'ouvre, joue de l'harmonica sur mes vitres si je les ferme. Entre sa propre immobilité et le libre paysage, il interpose son crin compact boutonné des fruits durs qu'il me tend par la fenêtre ouverte, et qui laissent à mes doigts leur résine fine, sa fine odeur...

Vers cinq heures le tourment d'arthrite m'éveille : à mon flanc le cyprès dort, apposé sur un fond d'aube vert pâle. Il ne tressaille ni ne respire dans son repos d'obélisque. Il s'éveillera tard, sollicité par le début de mistral dont je me sens bercée. Il exhale parfois une guêpe blonde, poussiéreuse comme la fleur du sapin. La guêpe, et le pâle Flambé, craignent la brosse rude du *cupressus*. Mais, cyprès compact, pour peu que le mistral mène à fond son offensive, lui seul creuse le bloc de ta sombre crêpelure, la divise et révèle ton cœur sec. Alors j'accepte la tentation de tes failles profondes, je crois t'habiter, et je te préfère à cette chambre que tu démantèles.

VIE ET MORT DU PHYLLOCACTUS

« Mon phyllocactus s'est, ce matin, spontanément décidé à fleurir, si éphémère que soit sa fleur, j'espère qu'elle passera la journée et que cette descendante du cactus rose de « Sido » ne se retirera du monde que vers la nuit... »

Ephémère n'est pas assez dire. Née de ce matin, la fleur admirable commence déjà sa mort. Je ne la quitterai pas avant sa défaillance dernière. Il y a une heure qu'André Barbier me la fit porter.

Grâces te soient encore une fois rendues, Sido ma mère, toi qui choisis, sur tout autre spectacle, celui du cactus rose en chemin de s'épanouir ! Si tu n'avais pas écrit un certain billet, que j'insérai dans *La naissance du jour,* je ne serais pas ici, contemplant comme tu fis un fatal et rapide prodige de floraison et de défloraison, dans la grande et déclinante lumière de juin, devant un petit pot sec, devant une plante en forme de laide latte verte qui met tout son orgueil, tout son bref destin dans une seule fleur, une seule explosion longuement promise et longtemps différée.

Elle est... non, elle était, il y a une heure, d'un blanc aussi pur que le nénuphar blanc. Déjà une ombre s'avance sur elle. Mais je puis encore la dire blanche, célébrer sur ses longs pétales un des tons de blanc qui ne couronnent ni le gardénia, ni le magnolia, ni le lys. Un mystère verdâtre, à peine perceptible, commence à la base de son calice et lentement l'imprègne... Puis-je écrire, puis-je penser, penchée sur elle, le mot « lentement » ? Il s'agit d'un instant, il s'agit du temps d'un soupir. Ce qui était dardé fléchit, ce qui était brandi renonce ; mais la gloire et l'arrogance se réfugient vers le centre de la corolle, où la protection du blanc est encore assurée. Longs, longs pétales, longs comme une petite main, belle forme spatulée, — chaque spatule achevée en épine inoffensive — coalition unanime autour d'un foyer d'étamines, autour du point le plus vulnérable... Mais le centre du centre m'était encore à découvrir : une hampe unique s'élève, et déchire en étoile son propre sommet, évoque l'étoile de mer, l'holothurie béante, l'anémone marine épanouie au bout de sa tige, le cristal géométrique de la neige... Hâtons-nous de voir, de comparer, — à quoi bon ?

Quelque chose de puissant et de néfaste vient d'attaquer un segment fleuri de la corolle, qui ploie. Le bistre et le vert inséparables de toute corruption conquièrent la créature qui attendit quatre ans sa récompense d'un jour.

« Défleurie elle ira, m'écrit André Barbier, au Museum, qui la veut soigner attentivement. » Un autre long sommeil l'attend. Peut-être son effort l'a-t-il conduite au-delà du repos dont nous espérons la rappeler ? Qu'importe, puisqu'en un jour elle a célébré et accompli sa saison passionnée.

NOTES

Dans un mois j'affronterai les premiers jours de ma quatre-vingtième année. Aujourd'hui, 17 décembre, je forme le projet d'écrire quelques pages sur l'amour...

Autour de moi, c'est décembre et Paris et le rouge chaud de ma prison agréable et la géométrie quadrangulaire du Palais-Royal, et les alternances presque rythmées qui lèsent mes deux cuisses, mes deux hanches, mes deux genoux. Nuisances jumelles et comme attitrées, les tiendrai-je pour une faveur ? Je m'y essaye. Pourquoi la virtuosité à souffrir, qui existe, serait-elle hors de mon atteinte ? Je l'exerce sans perversité, ma résistance qui n'est pas toujours infructueuse. Arraisonner l'ennemi intime, cela fait partie de la guerre honorable que je mène.

Me trompai-je, quand plus d'une fois je décidai que rire serait ma part et non larmoyer, m'autorisant de ce que le rire, voire le fou rire, ne dépend pas de la joie ? Rire, ta place à mes côtés, c'est plaisir de constater que, devenue vieille, je ne te l'ai pas, bien au contraire, chicanée, ni rétrécie... Ni même assourdie ; je rends le même son qu'il y a un demi-siècle, rire fait partie de mes constances, et je viens de demander à Pauline de me rapporter un flacon du parfum auquel je suis fidèle depuis cinquante-trois ans.

Je crains de moins en moins la présence des sceptiques et leur jugement. Je leur échappe peu à peu, moyennant qu'ils nourrissent mes oh ! et mes ah ! qui ne font pas grand bruit mais viennent de loin, et qu'ils me fournissent mon quotidien sujet d'étonnement. La privation, relative, d'argent, l'absence de confort, cela s'endure à force d'orgueil. Mais non le besoin d'être étonnée. Etonnez-moi, prenez-y peine, je ne saurais me passer de ces derniers éclats.

TABLE DES MATIÈRES

IMPRIMERIE DE LAGNY
EMMANUEL GREVIN ET FILS
- - - - - 9-1958 - - - - -

Dépôt légal : 4e trimestre 1958.
Flammarion et Cie, éditeurs (No 3646). — No d'Imp. 5503.

PAYSAGES ET PORTRAITS.